CHILDREN'S
WORDFINDER
IN GERMAN

Anne Civardi

Illustrated by Colin King

Translated by Sonja Osthecker

Consultant: Betty Root
Series Editor: Heather Amery

With thanks to Lynn Bresler

Die Baustelle

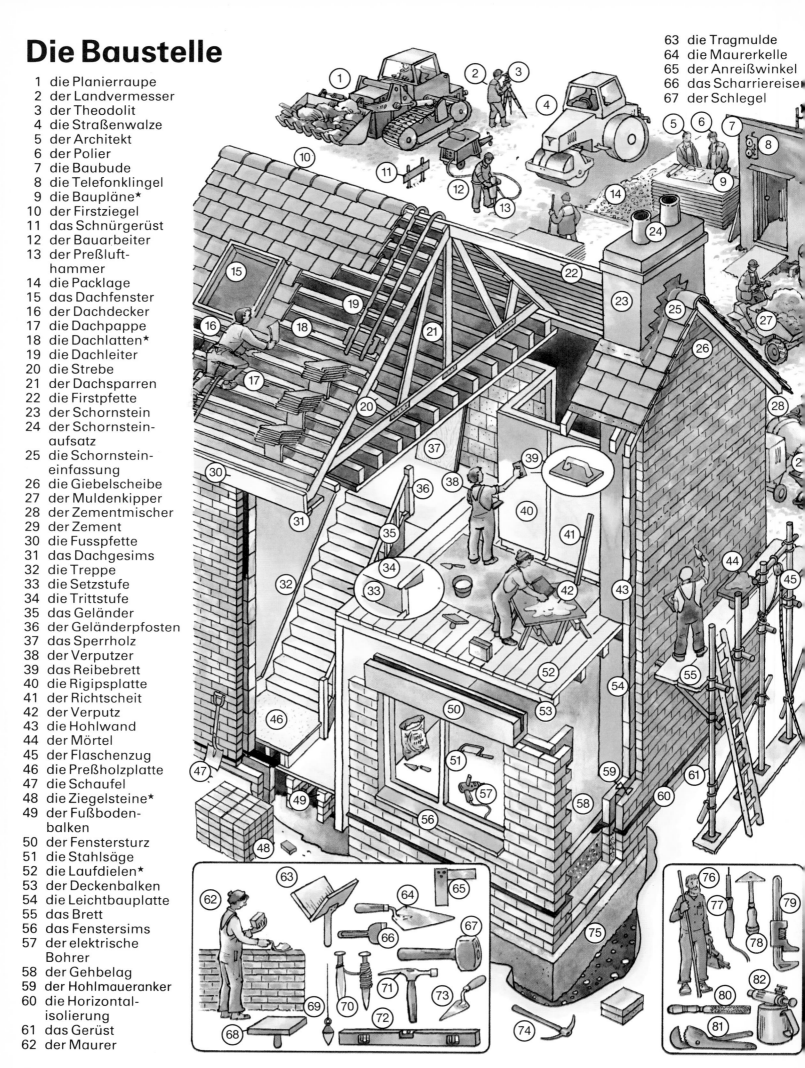

1 die Planierraupe
2 der Landvermesser
3 der Theodolit
4 die Straßenwalze
5 der Architekt
6 der Polier
7 die Baubude
8 die Telefonklingel
9 die Baupläne*
10 der Firstziegel
11 das Schnürgerüst
12 der Bauarbeiter
13 der Preßluft-
hammer
14 die Packlage
15 das Dachfenster
16 der Dachdecker
17 die Dachpappe
18 die Dachlatten*
19 die Dachleiter
20 die Strebe
21 der Dachsparren
22 die Firstpfette
23 der Schornstein
24 der Schornstein-
aufsatz
25 die Schornstein-
einfassung
26 die Giebelscheibe
27 der Muldenkipper
28 der Zementmischer
29 der Zement
30 die Fusspfette
31 das Dachgesims
32 die Treppe
33 die Setzstufe
34 die Trittstufe
35 das Geländer
36 der Geländerpfosten
37 das Sperrholz
38 der Verputzer
39 das Reibebrett
40 die Rigipsplatte
41 der Richtscheit
42 der Verputz
43 die Hohlwand
44 der Mörtel
45 der Flaschenzug
46 die Preßholzplatte
47 die Schaufel
48 die Ziegelsteine*
49 der Fußboden-
balken
50 der Fenstersturz
51 die Stahlsäge
52 die Laufdielen*
53 der Deckenbalken
54 die Leichtbauplatte
55 das Brett
56 das Fenstersims
57 der elektrische
Bohrer
58 der Gehbelag
59 der Hohlmaueranker
60 die Horizontal-
isolierung
61 das Gerüst
62 der Maurer

63 die Tragmulde
64 die Maurerkelle
65 der Anreißwinkel
66 das Scharriereise
67 der Schlegel

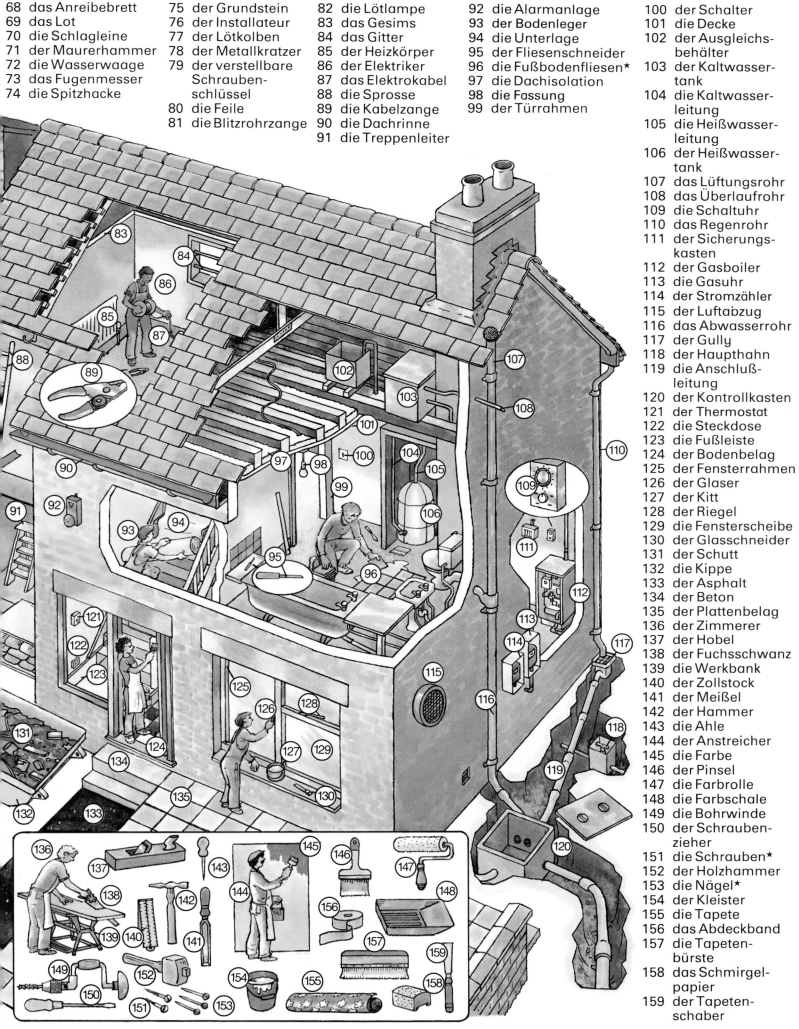

68 das Anreibebrett
69 das Lot
70 die Schlagleine
71 der Maurerhammer
72 die Wasserwaage
73 das Fugenmesser
74 die Spitzhacke

75 der Grundstein
76 der Installateur
77 der Lötkolben
78 der Metallkratzer
79 der verstellbare
   Schrauben-
   schlüssel
80 die Feile
81 die Blitzrohrzange

82 die Lötlampe
83 das Gesims
84 das Gitter
85 der Heizkörper
86 der Elektriker
87 das Elektrokabel
88 die Sprosse
89 die Kabelzange
90 die Dachrinne
91 die Treppenleiter

92 die Alarmanlage
93 der Bodenleger
94 die Unterlage
95 der Fliesenschneider
96 die Fußbodenfliesen*
97 die Dachisolation
98 die Fassung
99 der Türrahmen

100 der Schalter
101 die Decke
102 der Ausgleichs-
    behälter
103 der Kaltwasser-
    tank
104 die Kaltwasser-
    leitung
105 die Heißwasser-
    leitung
106 der Heißwasser-
    tank
107 das Lüftungsrohr
108 das Überlaufrohr
109 die Schaltuhr
110 das Regenrohr
111 der Sicherungs-
    kasten
112 der Gasboiler
113 die Gasuhr
114 der Stromzähler
115 der Luftabzug
116 das Abwasserrohr
117 der Gully
118 der Haupthahn
119 die Anschluß-
    leitung
120 der Kontrollkasten
121 der Thermostat
122 die Steckdose
123 die Fußleiste
124 der Bodenbelag
125 der Fensterrahmen
126 der Glaser
127 der Kitt
128 der Riegel
129 die Fensterscheibe
130 der Glasschneider
131 der Schutt
132 die Kippe
133 der Asphalt
134 der Beton
135 der Plattenbelag
136 der Zimmerer
137 der Hobel
138 der Fuchsschwanz
139 die Werkbank
140 der Zollstock
141 der Meißel
142 der Hammer
143 die Ahle
144 der Anstreicher
145 die Farbe
146 der Pinsel
147 die Farbrolle
148 die Farbschale
149 die Bohrwinde
150 der Schrauben-
    zieher
151 die Schrauben*
152 der Holzhammer
153 die Nägel*
154 der Kleister
155 die Tapete
156 das Abdeckband
157 die Tapeten-
    bürste
158 das Schmirgel-
    papier
159 der Tapeten-
    schaber

5

Das Haus

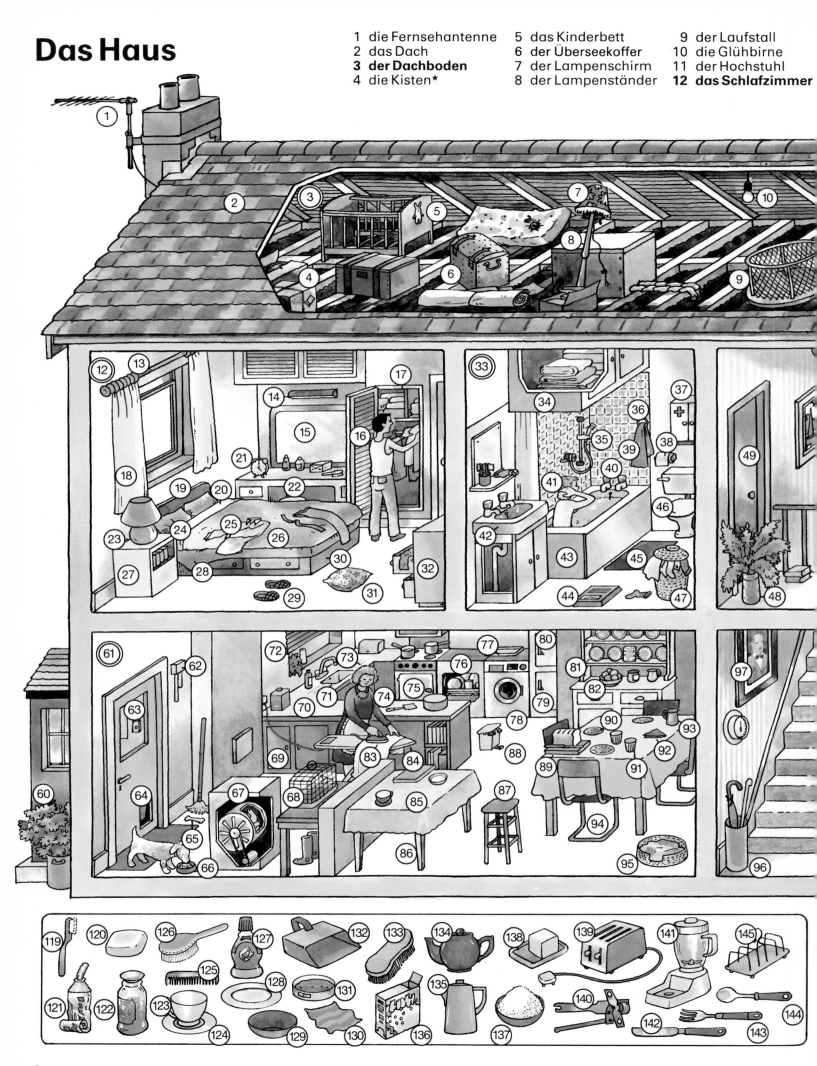

1 die Fernsehantenne
2 das Dach
3 **der Dachboden**
4 die Kisten*
5 das Kinderbett
6 der Überseekoffer
7 der Lampenschirm
8 der Lampenständer
9 der Laufstall
10 die Glühbirne
11 der Hochstuhl
12 **das Schlafzimmer**

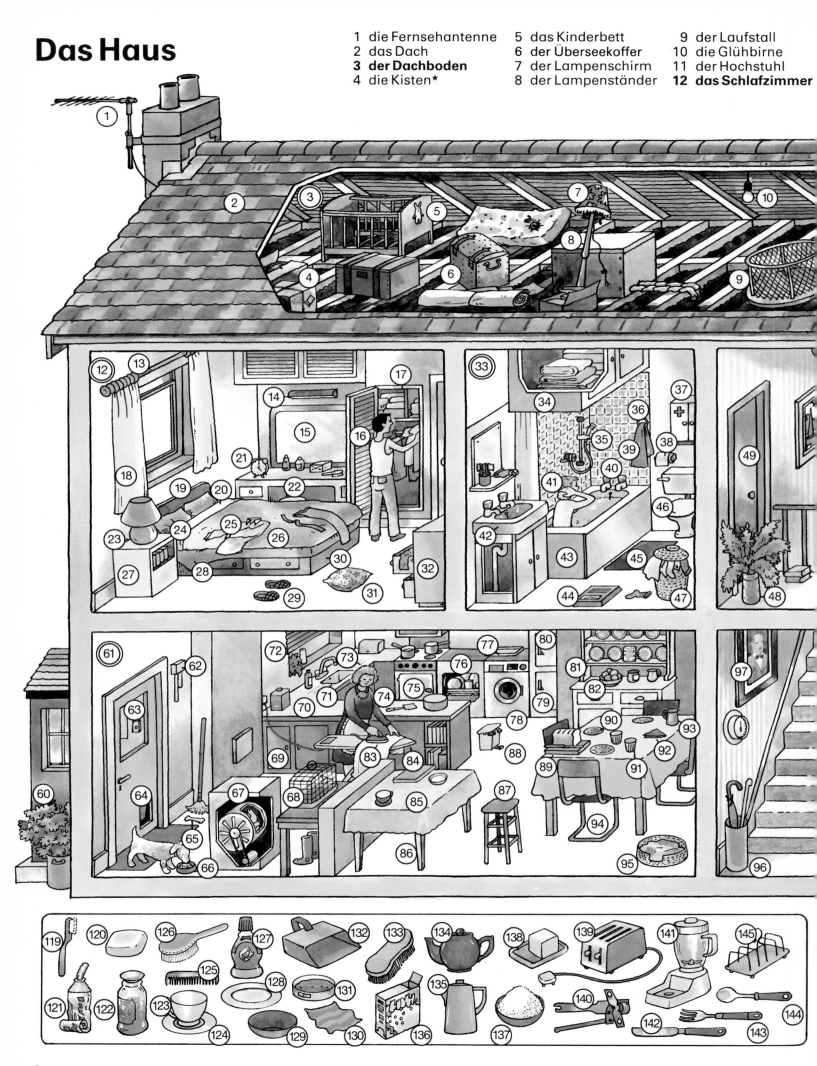

6

13 die Gardinenstange
14 die Neonlampe
15 der Spiegel
16 der Vater

17 der Kleiderschrank
18 der Vorhang
19 das Kopfende

20 das Bettlaken
21 der Wecker
22 die Frisierkommode
23 die Lampe
24 das Kopfkissen

25 das Hemd
26 das Federbett
27 der Nachttisch
28 die Wolldecke
29 die Pantoffeln*
30 das Bett
31 das Kissen
32 die Kommode
33 das Badezimmer
34 der Hängeschrank
35 die Dusche
36 der Handtuchring
37 das Arzneischränk-
   chen
38 das Toilettenpapier
39 das Handtuch
40 die Wasserhähne*
41 der Sohn
42 das Waschbecken
43 die Badewanne
44 die Personenwaage
45 die Badematte
46 die Toilette
47 der Wäschekorb
48 die Vase
49 die Tür
50 die Standuhr
51 der Hamster
52 die Mutter
53 die Patchworkdecke
54 der Staubsauger
55 die Tochter
56 der Schaukelstuhl
57 das Etagenbett
58 das Aquarium
59 der Blumenkasten
60 der Vorbau
61 die Küche
62 die Türglocke
63 die Klingel
64 die Katzenklappe
65 der Knochen
66 der Futternapf
67 der Wäsche-
   trockner
68 der Vogelkäfig
69 der Küchenschrank
70 die Arbeitsfläche
71 die Spüle
72 die Jalousie
73 die Ablage
74 die Großmutter
75 der Backofen
76 die Geschirrspül-
   maschine
77 das Tablett
78 die Wasch-
   maschine
79 der Kühlschrank
80 der Gefrierschrank
81 die Anrichte
82 die Obstschale
83 das Bügeleisen
84 das Bügelbrett
85 die Tischdecke
86 der Tisch
87 der Hocker
88 der Abfalleimer
89 das Brotbrett
90 das Set
91 das Glas

92 die Serviette
93 der Milchkrug
94 der Stuhl
95 der Hundekorb
96 der Schirmständer
97 das Portrait
98 der Flur
99 der Garderoben-
   ständer
100 das Telefon
101 die Telefonbücher*
102 die Fußmatte
103 das Wohnzimmer
104 das Bücherregal
105 der Bilderrahmen
106 der Plattenspieler
107 die Stereoanlage
108 das Sofa
109 der Großvater
110 das Regal
111 der Zeitungs-
   ständer
112 das Fenster
113 das Fernsehgerät
114 der Sessel
115 der Sofatisch
116 der Aschenbecher
117 der Läufer
118 der Papierkorb
119 die Zahnbürste
120 die Seife
121 die Zahnpasta
122 das Badesalz
123 die Tasse
124 die Untertasse
125 der Kamm
126 die Haarbürste
127 das Haarwasch-
   mittel
128 der Teller
129 der Suppenteller
130 das Staubtuch
131 die Politur
132 die Kehrschaufel
133 die Scheuerbürste
134 die Teekanne
135 die Kaffeekanne
136 das Waschpulver
137 die Zuckerschale
138 die Butterdose
139 der Toaster
140 der Dosenöffner
141 der Mixer
142 das Messer
143 die Gabel
144 der Löffel
145 der Toastständer
146 das Fleischmesser
147 die Fleischgabel
148 der Korkenzieher
149 die Eieruhr
150 der Kochtopf
151 die Bratpfanne
152 der Schmortopf
153 die Schöpfkelle
154 der Salzstreuer
155 die Pfeffermühle
156 der Kerzenständer
157 das Sieb
158 der elektrische
   Wasserkessel

7

Sport I

1 der Startblock
2 der Sprinter
3 die Spikes*
4 der Leichtathlet
5 das Stadion
6 die Laufbahn
7 der Sportplatz
8 die Zuschauer*
9 der Trainer
10 der Marathonläufer
11 die Startpistole
12 die Wettkämpfer*
13 der Sieger
14 die Ziellinie
15 der Wassergraben
16 der Hindernisläufer
17 der Hürdenläufer
18 die Hürde
19 der Weitsprung
20 der Hochsprung
21 die Latte
22 das Absprungbrett
23 der Dreisprung
24 der Stabhochsprung
25 der Geher
26 der Speer
27 der Diskuswerfer
28 das Kugelstoßen
29 der Hammerwurfkäfig
30 der Hammerwerfer
31 der Staffellauf
32 der Staffelstab
33 die Gewichtscheiben*
34 die Scheibenhantel
35 der Gewichtheber
36 die Ringerstiefel*
37 der Ringer
38 der Ringkämpfer
39 die Steuerfeder
40 der Wurfpfeil
41 der Pfeilwerfer
42 der Anschreiber
43 die Anschreibetafel
44 die Zielscheibe
45 **das Karate**
46 der Seitfußstoß
47 der Karateanzug
48 **das Judo**
49 der schwarze Gürtel
50 der Judoka
51 **das Boxen**
52 der Kopfschutz
53 der Boxer
54 der Ringrichter
55 der Boxring
56 das Eckpolster
57 der Punktrichter
58 der Zeitnehmer
59 der Gong
60 der Manager
61 der Sekundant
62 der Plattformball
63 der Sandsack
64 der Punchingball
65 die Hantel
66 **das Fechten**

67 die Fechtmaske
68 der Fechtmeister
69 der Fechter

70 die Metallweste
71 die Fechthose
72 das Florett

73 der Handschuh
74 die Stulpe
75 der Degen

76 der Säbel
77 der Turner
78 das Langpferd

8

91 der Turnlehrer
92 die Sprossenwand
93 der Kopfstand
94 die Schwebebank
95 die Landematte
96 die Rolle
97 die Matte
98 der Handstand
99 das Klettertau
100 das Golf
101 der Golfschläger
102 die Golftasche
103 der Abschlagplatz
104 der Golfspieler
105 der Golfwagen
106 der Caddie
107 der Abschlag
108 die Spielbahn
109 der Golfball
110 das Grün
111 die Flagge
112 das Sandhindernis
113 das rauhe Gras
114 das Klubhaus
115 der Wasserskiläufer
116 die Wasserski★
117 die Sprungschanze
118 das Schleppseil
119 das Motorboot
120 das Tennis
121 der Schiedsrichter
122 der Linienrichter
123 der Tennisplatz
124 die Grundlinie
125 die Linien des Doppelspielfelds★
126 die Seitenlinien für Doppel★
127 die Seitenlinien für Einzel★
128 die Aufschlaglinie
129 das Tennisnetz
130 der Balljunge
131 der Aufschläger
132 der Tennisschläger
133 der Griff
134 der Tennisball
135 der Rollschuhläufer
136 der Rollschuh
137 die Bindung
138 der Stopper
139 der Ellbogenschutz
140 das geschwungene Ende
141 der Knieschützer
142 das Skateboard
143 der Sprungturm
144 der Turmspringer
145 das Schwimmbecken
146 das Sprungbrett
147 die Bahnen★
148 das Rückenschwimmen
149 der Starter
150 die Badekappe

79 die Turnhalle
80 der Gymnastikanzug
81 der Schwebebalken
82 der Stufenbarren
83 der Kasten
84 das Sprungbrett
85 der Bock
86 das Trampolin
87 die Ringe★
88 der Barren
89 das Reck
90 das Seitpferd

9

Sport II

1 **das Skilaufen**
2 die Sprungschanze
3 der Berg
4 die Seilbahn
5 der Sessellift
6 der Skiläufer
7 die Piste
8 der Skiunterricht
9 der Skilehrer
10 der Rodelschlitten
11 die Slalomstrecke
12 der Ski

13 der Skistiefel
14 der Skistock
15 **der Football**
16 der Schulterschutz
17 der Beinschutz
18 die Torstange
19 **der Fußball**
20 die Eckfahne
21 der Stürmer
22 der Fußball
23 die Pfeife
24 **das Kricket**

25 der Außenspieler
26 der Schlagmann
27 der Kricketschläger
28 der Torwächter
29 der Beinschutz
30 der Werfer
31 der Kricketball
32 die Stäbe*
33 die Wurflinie
34 der Handschuh
35 **das Rugby**
36 das Gedränge

95 die Bowlingkugel
96 die Zielkugel
97 **das Tischtennis**
98 der Tischtennis-schläger
99 die Mittellinie

100 **das Gewehrschießen**
101 das Zielfernrohr
102 das Gewehr
103 der Schütze
104 die Patronen*
105 die Schießanlage

106 **das Boule**
107 die Boulekugel
108 der Maßstab
109 der Bouleplatz
110 **das Squash**
111 der Squashplatz

112 der Squashball
113 der Squashschläger
114 das Aufschlagfeld
115 **das Bogenschießen**
116 die Bogensehne
117 der Bogen

118 der Pfeil
119 der Armschutz
120 die Zielscheibe
121 das Schwarze
122 **das Krocket**
123 die Klammern*

37 der Einwerfer	48 das Mal	59 die Rennfarben*	71 die Triplebarre	83 der Steuermann
38 der Rugbyball	49 das Wurfmal	60 das Rennpferd	72 der Oxer	84 der Zweierbob
39 das Lacrosse	50 der Werfer	61 die Peitsche	73 die Reitstiefel*	85 die Leitkufe
40 der Schläger	**51 das Eishockey**	62 der Jockey	74 die Reithose	**86 das Curling**
41 der Baseball	52 der Schlittschuh	63 die Scheuklappen*	75 die Reitkappe	87 der Curlingbesen
42 der Fänger	53 der Schlägerhand-	64 der Zielpfosten	**76 das Surfen**	88 der Kapitän
43 die Schlagkeule	schuh	**65 das Kanufahren**	77 das Schwert	89 der Zielkreis
44 der Schlagmann	54 der Schienbeinschutz	66 der Kajak	78 das Surfbrett	90 die Eisbahn
45 der Handschuh	55 die Torlinie	67 der Bugmann	79 die Surfleine	91 der Curlingstein
46 das Schlagmal	56 der Torkreis	68 das Verdeck	**80 das Bobfahren**	**92 das Bowlingspiel**
47 der Außenfeld-	57 der Puck	**69 das Springreiten**	81 die Hinterkufe	93 die Bowlingmatte
spieler	**58 das Galopprennen**	70 das Rick	82 der Bremser	94 der Rasenplatz

124 der Krockethammer	130 das Polopferd	**136 der Basketball**	142 das Tor	**147 das Rudern**
125 das Krockettor	131 die Beinbandage	137 das Brett	143 der Hockeyschläger	148 das Ruderboot
126 die Krocketkugel	**132 das Pelotaspiel**	138 der Korbring	**144 der Federball**	149 der Steuermann
127 der Zielpfahl	133 die Cesta	**139 das Hockey**	145 der Federball-	150 das Ruder
128 das Polo	134 die Jaialai	140 die Gesichtsmaske	schläger	151 der Ruderer
129 der Poloschläger	135 der Pelotaball	141 der Tormann	146 der Federball	152 der Bootsschuppen

11

Auf dem Bauernhof

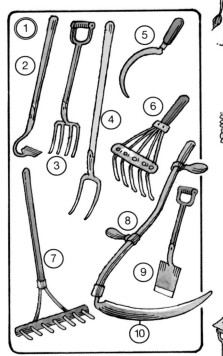

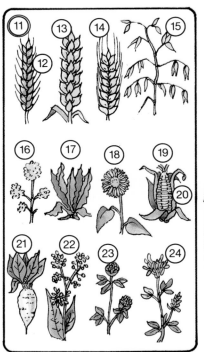

1 **die Geräte***
2 die Hacke
3 die Mistgabel
4 die Heugabel
5 die Sichel
6 der Kartoffelrechen
7 der Heurechen
8 die Sense
9 der Spaten
10 das Sensenblatt
11 **die Feldfrüchte***
12 der Roggen
13 der Weizen
14 die Gerste
15 der Hafer

16 der Senf
17 der Grünkohl
18 die Sonnenblume
19 der Mais
20 der Kolben
21 die Zuckerrübe
22 der Raps
23 der Klee
24 die Luzerne
25 die Kuh
26 das Euter
27 das Kalb
28 der Schwanz
29 der Bulle
30 der Nasenring

31 das Lamm
32 das Schaf
33 der Schafbock
34 der Eber
35 der Rüssel
36 die Sau
37 das Ferkel
38 das Feld
39 der Unterstand
40 die Pferdekoppel
41 das Tor
42 die Bienen*
43 der Bienenstock
44 der Traktor
45 die Hecke

46 die Mähmaschine
47 das Hühnerhaus
48 der Behälter für
    Hühnerfutter
49 der Hase
50 der Schuppen
51 das Heunetz
52 der Stall
53 das Bauernhaus
54 der Fensterladen
55 die junge Katze
56 die Katze
57 der Schweinestall
58 der Trog
59 der Reisigbesen

60 die Gummistiefel*
61 das Regenfaß
62 der Futtertisch
63 die Mauer
64 der Schlauch
65 die Hundehütte
66 die jungen Hunde
67 der Schlamm
68 das Kaninchen
69 der Kaninchenstall
70 die Bäuerin
71 die Eier*
72 der Zaun
73 das Riedgras
74 der Teich

Am Flughafen

69 der Servierwagen	75 der Vorfeldwagen	80 die Start- und	85 der Kopilot	91 der Radarkopf
70 die Schutzwand	76 die Bremsklappe	Landebahn	86 der Pilot	92 die Bugräder*
71 der Notausgang	77 der Flügelspitze	81 das Warnblinklicht	87 das Cockpit	93 der Landeschein-
72 der verstellbare Sitz	78 der Windsack	82 der Passagierraum	88 der Polizeiwagen	werfer
73 die Filmleinwand	79 die Landebahn-	83 die Ansaugöffnung	89 der Bodenlotse	94 die Stewardeß
74 die Antenne	Befeuerung	84 der Bordingenieur	90 die Ohrenschützer*	95 der Rumpf

96 das Fahrwerk
97 das Düsentriebwerk
98 die Triebwerks-
   verkleidung
99 der Wartungs-
   monteur
100 der Terminal
101 das Geschäft für
    zollfreien Einkauf
102 der Ausgang
103 die Personen-
    kontrolle
104 die Wartehalle
105 der Paß
106 die Flugkarte
107 die Bordkarte
108 das Handgepäck
109 die Fluganzeige-
    tafel
110 das Gepäckband
111 die Gepäck-
    abfertigung
112 die Abfertigungs-
    halle
113 die Fluginformation
114 der Flughafen-
    angestellte
115 die Zimmer-
    vermittlung
116 der Autoverleih
117 die Ankunftshalle
118 die Zollkontrolle
119 das Gepäck-
    Rundlaufband
120 die Gepäckausgabe
121 der Grenzbeamte
122 die Paßabfertigung
123 das Laufband
**124 die Wartungs- und
    Versorgungs-
    fahrzeuge***
125 der Tankwagen
126 der Frischwasser-
    wagen
127 der Frischluft-
    versorgungs-
    wagen
128 der Generator-
    wagen
129 der Gepäckzug
130 die Schnee-
    schleuder
131 das Wartungs-
    fahrzeug mit
    Hebebühne
132 das Verlade-
    fahrzeug
133 der Toilettenwagen
134 der Bus für die
    Besatzung
135 der Eiswagen
136 der Passagierbus
137 der Abschlepp-
    wagen
138 das Löschfahrzeug

Der Strand und das Meer

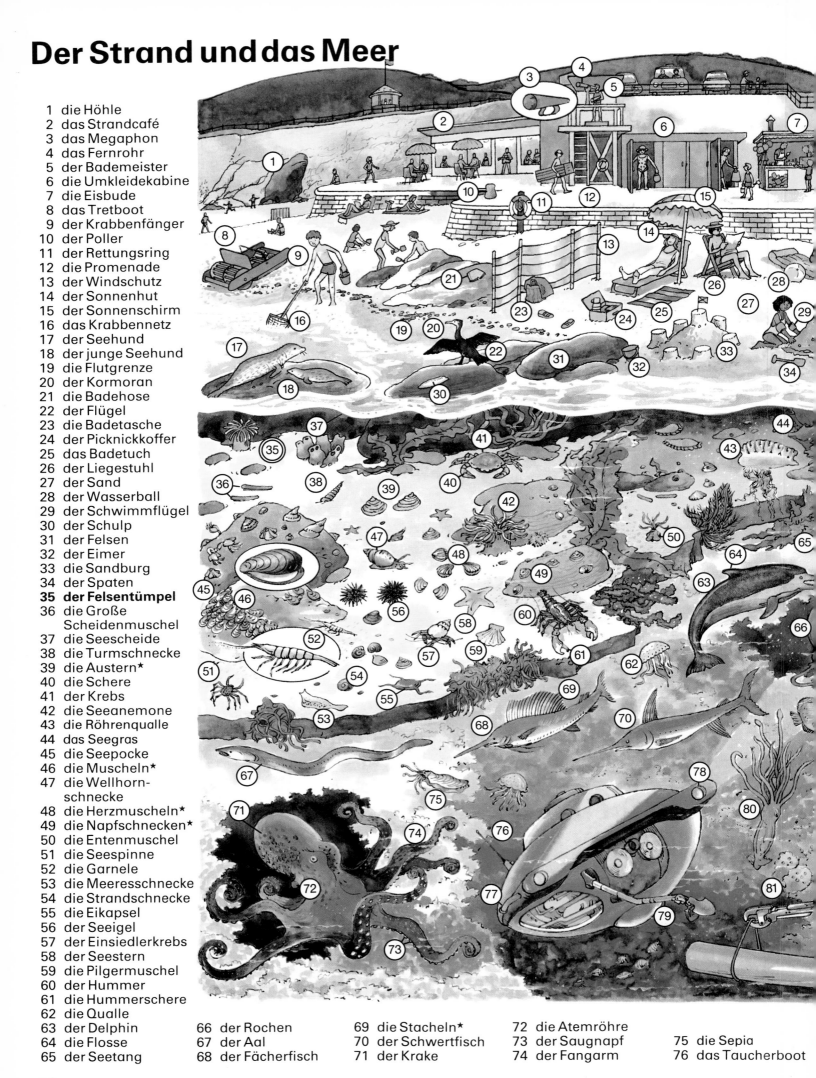

1 die Höhle
2 das Strandcafé
3 das Megaphon
4 das Fernrohr
5 der Bademeister
6 die Umkleidekabine
7 die Eisbude
8 das Tretboot
9 der Krabbenfänger
10 der Poller
11 der Rettungsring
12 die Promenade
13 der Windschutz
14 der Sonnenhut
15 der Sonnenschirm
16 das Krabbennetz
17 der Seehund
18 der junge Seehund
19 die Flutgrenze
20 der Kormoran
21 die Badehose
22 der Flügel
23 die Badetasche
24 der Picknickkoffer
25 das Badetuch
26 der Liegestuhl
27 der Sand
28 der Wasserball
29 der Schwimmflügel
30 der Schulp
31 der Felsen
32 der Eimer
33 die Sandburg
34 der Spaten
35 der Felsentümpel
36 die Große
   Scheidenmuschel
37 die Seescheide
38 die Turmschnecke
39 die Austern*
40 die Schere
41 der Krebs
42 die Seeanemone
43 die Röhrenqualle
44 das Seegras
45 die Seepocke
46 die Muscheln*
47 die Wellhorn-
   schnecke
48 die Herzmuscheln*
49 die Napfschnecken*
50 die Entenmuschel
51 die Seespinne
52 die Garnele
53 die Meeresschnecke
54 die Strandschnecke
55 die Eikapsel
56 der Seeigel
57 der Einsiedlerkrebs
58 der Seestern
59 die Pilgermuschel
60 der Hummer
61 die Hummerschere
62 die Qualle
63 der Delphin
64 die Flosse
65 der Seetang

66 der Rochen
67 der Aal
68 der Fächerfisch

69 die Stacheln*
70 der Schwertfisch
71 der Krake

72 die Atemröhre
73 der Saugnapf
74 der Fangarm

75 die Sepia
76 das Taucherboot

88 die Bucht
89 die Insel
90 das Floß
91 der Schnorchel
92 die Fischkisten*
93 das Netz
94 die Wurfscheibe
95 der Wellenbrecher
96 der Windsurfer
97 der Schwimmer
98 die Boje
99 das Meer
100 die Schwimmflosse
101 die Taucherbrille
102 die Möwe
103 die Brandung
104 der Sandwurm
105 der Anker
106 der Krebskorb
107 der Pfosten
108 der Hummerkorb
109 der Landesteg
110 das Treibholz
111 die Welle
112 der Fischer
113 das Fischerboot
114 die Seenadel
115 das Seepferdchen
116 die Wasser-
schildkröte
117 der Sägefisch
118 die Riesenvenus-
muschel
119 der Tümmler
120 die Seeschlange
121 der Hai
122 der Wal
123 der Taucher
124 die Unterwasser-
kamera
125 die Koralle
126 das Tauchfahrzeug
127 der Kommando-
turm
128 der Navigator
129 der Ballasttank
130 der Käfig
131 das Kabel
132 das Wrack
133 die Harpune
134 der Bleigürtel
135 die Aqualunge
136 der Aquascooter
137 der Taucheranzug
138 der Tiefenmesser
139 die wasserdichte
Uhr
140 der Sauerstoff-
schlauch
141 der Tiefseetaucher
142 der Taucherhelm
143 der Tiefseegraben
144 das Tiefseetauch-
boot
145 der Druckkörper
146 die akustische
Sonde
147 die Tiefseetafel

77 die Wasserdüse
78 der Suchschein-
werfer
79 der Greifarm
80 der Tintenfisch
81 der Schwamm
82 der Strandwärter
83 die Dünen*
84 das Nebelhorn
85 die Rettungsstation
86 die Helling
87 der Leuchtturm

17

Das Essen

1 **das Gemüse**
2 der Spinat
3 die Erbsen*
4 die Karotten*
5 die Kartoffeln*
6 der Kürbis
7 die Steckrübe
8 die Pastinake
9 die Auberginen*
10 die Zucchini*
11 der Rosenkohl
12 der Porree
13 der Broccoli
14 der Blumenkohl
15 der Staudensellerie
16 die grünen Bohnen
17 der Weißkohl
18 der Rotkohl
19 der Kürbis
20 die Zwiebeln*
21 die Pilze*
22 die Artischocken*
23 der Spargel
24 die rote Beete
25 der Mais
26 der Fenchel
27 der Kopfsalat
28 die Radieschen*
29 die Chicorée
30 die Tomaten*
31 die Gurke
32 der Rhabarber
33 die rote Paprika-
   schote
34 die grüne Paprika-
   schote
35 die Avocados*
36 **das Obst**
37 die Ananas*
38 die Kokosnüsse*
39 die Bananen*

40 die Trauben*
41 die Limonen*
42 die Zitronen*
43 die Orangen*
44 die Pampelmusen*
45 die Mangos*
46 die Papayas*
47 die Feigen*
48 die Birnen*
49 die Äpfel*
50 die Mandarinen*
52 die Honigmelonen*
52 die Honigmelonen
53 die Wassermelonen*
54 die Pfirsiche*
55 die Pflaumen*
56 die Datteln*
57 die Aprikosen*
58 die Reineclauden*
59 die Johannis-
   beeren*
60 die Blaubeeren*
61 die Erdbeeren*
62 die Himbeeren*
63 die Stachelbeeren*
64 die Preiselbeeren*
65 die Brombeeren*
66 der gemischte
   Salat
67 der Eintopf
68 die Spaghetti*
69 der Sirup
70 die Fleischpastete
71 der Reis
72 die Knödel*
73 die Suppe
74 das Omelett
75 die Spiegeleier*
76 der Hamburger
77 die Pfannkuchen*
78 die Pommes frites*
79 die Hot dogs*
80 die Pute
81 die Füllung
82 Butterbrote*
83 die Pizza
84 die Quiche
85 der Kaviar
86 das Eis
87 die Pastete
88 die Schokoladen-
   soße
89 das Soufflé
90 die Götterspeise
91 die Schaumkrem
92 der Schaschlik
93 die Eclairs*
94 der Obstsalat
95 der Käsekuchen
96 die Vanillesoße
97 der Teig
98 die Baisers*
99 die Obsttorte
100 der Pudding
101 **die Kräuter***
102 das Basilikum
103 das Schnittlauch
104 der Knoblauch
105 die Pfefferminze
106 die Petersilie
107 der Rosmarin

108 der Thymian
109 **das Fleisch**
110 der Schinken
111 der Speck
112 die Koteletts*
113 die Salami
114 das Steak
115 die Würstchen*
116 **der Fisch**
117 der Räucherlachs
118 die Krabben*
119 die Bücklinge*
120 die Fisch-
   frikadellen*
121 die Fischstäbchen*
122 die Sardinen*
123 der Thunfisch
124 das Fischsteak
125 das Fischfilet
126 das Graubrot
127 das Weißbrot
128 die Hörnchen
129 das Brötchen
130 das Teegebäck
131 die Krapfen*
132 die Weißbrot-
   stangen*
133 der Zuckerguß
134 der Kuchen
135 die Kekse*
136 das französische
   Brot
137 die Rosinen-
   brötchen*
138 das Fladenbrot
139 die Trocken-
   bohnen*
140 die heiße
   Schokolade
141 das Bier
142 der Wein
143 der Kaffee
144 die Kaffeebohnen*
145 der Tee
146 der Teebeutel
147 der Fruchtsaft
148 das Milchmix-
   getränk
149 die Sahne
150 der Zucker
151 die Marmelade
152 das Mehl
153 der Senf
154 das Salz
155 der Pfeffer
156 der Honig
157 die Mayonnaise
158 der Ketchup
159 das Müsli
160 die Nüsse*
161 die Erdnußbutter
162 die Süßigkeiten*
163 die Gewürzgurken*
164 die gebackenen
   Bohnen*
165 der Käse
166 die Butter
167 der Joghurt
168 die Orangen-
   marmelade
169 Rosinen*

19

Die Burg

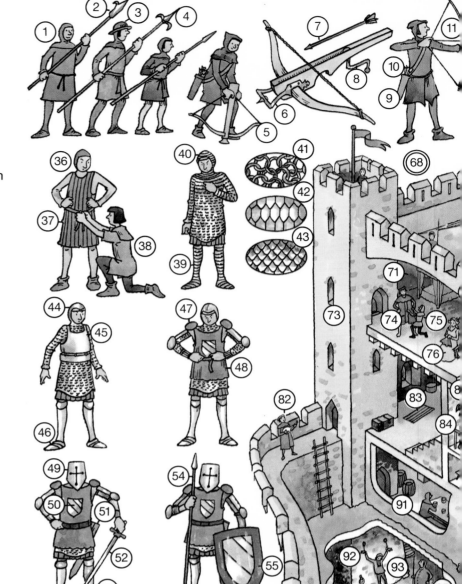

1 der Fußsoldat
2 die Hellebarde
3 der Helm
4 die Pike
5 die Armbrust
6 der Bügel
7 der Bolzen
8 der Drücker
9 der Köcher
10 die Pfeile
11 der Bogen
12 die Axt
13 der Morgenstern
14 der Streitkolben
15 der Dolch
16 der Belagerungs-
  turm
17 der Sturmbock
18 die Balliste
19 die Schleuder
20 die Steinschleuder-
  maschine
21 die Schutzwehr
22 der Bogenschütze
23 die Katapult-
  schleuder
24 der Feuertopf
25 das siedende Öl
26 die Kanone
27 das Bodenstück
28 das Zündloch
29 der Ladepfropf
30 die Kanonen-
  kugeln*
31 die Patrone
32 die Mündung
33 die Lafette
34 der Docht
35 der Ladestock
36 der Ritter
37 das wattierte Hemd
38 der Knappe
39 die Beinkleider*
40 die Kapuze
41 das Kettenhemd
42 der Schuppen-
  panzer
43 der Schildpanzer
44 die Haube
45 das Bruststück
46 die Schuhe*
47 die Schulterkachel
48 der Waffenrock
49 der große Helm
50 das Wappen
51 die Scheide
52 das breite Schwert
53 die Beinröhre
54 die Lanze
55 der Schild
56 das Turnier
57 der Stechpfosten
58 der Federbusch
59 das Zelt
60 die Edelleute*
61 der Kranz
62 der Roßharnisch

63 die Barriere
64 der Turniersattel
65 die Helmzier
66 die Trompeter
67 der Herold
68 die Burg
69 das Mauertürmchen
70 der Zinnenkranz
71 das herrschaftliche
  Schlafgemach
72 der Wachturm
73 das Spitzbogen-
  fenster
74 der Freiherr
75 der Schneider
76 die Freifrau
77 die Magd
78 der Wandteppich
79 der Kaplan
80 das Kreuz
81 die Kapelle
82 der Minnesänger
83 die Pritsche
84 die Galerie
85 der fahrende
  Spielmann
86 der Zuber
87 die Kerze
88 der Saal
89 der Kamin
90 die Wendeltreppe
91 das Faß
92 das Verlies
93 der Gefangene
94 die Ketten*
95 der Kerkermeister
96 der Abort
97 die Bank
98 das Tischgestell
99 der Narr
100 die Böschungs-
  fläche
101 der Kessel
102 die Kochhütte
103 das Strohdach
104 das Kräuterbeet
105 der Burggarten
106 der Obstbaum
107 der Blasebalg
108 der große Ofen
109 der Spieß
110 die Wache
111 der Feuerschutz
112 das Backhaus
113 das Packpferd
114 der Händler
115 die Holztreppe
116 der Burghof
117 die Treppen-
  spindel
118 die Schießscharte
119 der Rauchabzug
120 die Schmiede
121 der Waffen-
  schmied
122 der Bauer
123 der Fischteich

124 die Wäscherin
125 der Schuhmacher
126 der Holzfäller
127 der Dachdecker
128 der Burggraben
129 der Hofmeister
130 die Nonne
131 der Mönch
132 der Torbogen
133 die Baumstämme*
134 die Jagdhunde*

135 der Hundeaufseher
136 der Karren
137 die Hütte
138 der Brunnen
139 der Taubenschlag
140 die Tauben*
141 der Stallbursche
142 die Stange
143 der Falkner
144 der Falke
145 der Falkenhof

146 der Wehrgan
147 die Ringmau
148 die Schildwa
149 der Zinnenza
150 die Zinnenlüc
151 die Bretterbu
152 das Torhaus
153 das Fallgatte
154 die Zugbrück
155 der Bettler
156 der Graben

21

Musik

1 die große Trommel
2 die Trommel-schlegel*
3 die kleine Trommel
4 die Posaune
5 der Posaunenzug
6 die Wasserklappe
7 die Kesselpauke
8 das Trommelfell
9 das Pedal
10 das Fagott
11 das S-Rohr
12 die Oboe
13 die Klappen*
14 die Zunge
15 die Querflöte
16 das Blasloch
17 die Geige
18 die Kinnstütze
19 der Geigenbogen
20 die Klarinette
21 die Bratsche
22 der Saitenhalter
23 die Schnecke
24 die Tuba
25 das Ventil
26 das Mundstück
27 das Waldhorn
28 das Englischhorn
29 die Pikkoloflöte
30 das Mundstück
31 das Cello
32 **das Orchester**
33 das Glockenspiel
34 das Xylophon
35 die Orgel
36 die Register*
37 die Orgelpfeifen*
38 das Schlagzeug
39 die Becken*
40 der Flötist
41 die Holzblas-instrumente*
42 die Blechblas-instrumente*
43 die Streich-instrumente*
44 die Harfenistin
45 die Harfe
46 die Geiger*
47 die Bratschisten*
48 der Notenständer
49 der Dirigent
50 das Notenblatt
51 das Pult
52 die Cellisten*
53 die Kontrabaßspieler*
54 **die Rockgruppe**
55 die Lautsprecherbox
56 das Schlagzeug
57 das Tamtam
58 der Schlagzeuger
59 die kleine Trommel
60 das Becken
61 das Hi-hat
62 die Background-Sänger*

63 das Mikrophon
64 **der Kontaktschalter**
65 der Verstärker
66 die Baßgitarre
67 das elektrische Klavier
68 der Synthesizer
69 die erste Gitarre
70 die elektrische Orgel
71 **die elektrische Gitarre**
72 das Wirbelbrett
73 der Hals
74 der Bund
75 der Tonabnehmer
76 das Schlagbrett
77 der Tremolo-Hebel
78 die Regelknöpfe*
79 die Steckdose
80 der Kontrabaß-bogen
81 der Kontrabaß
82 die Saiten*

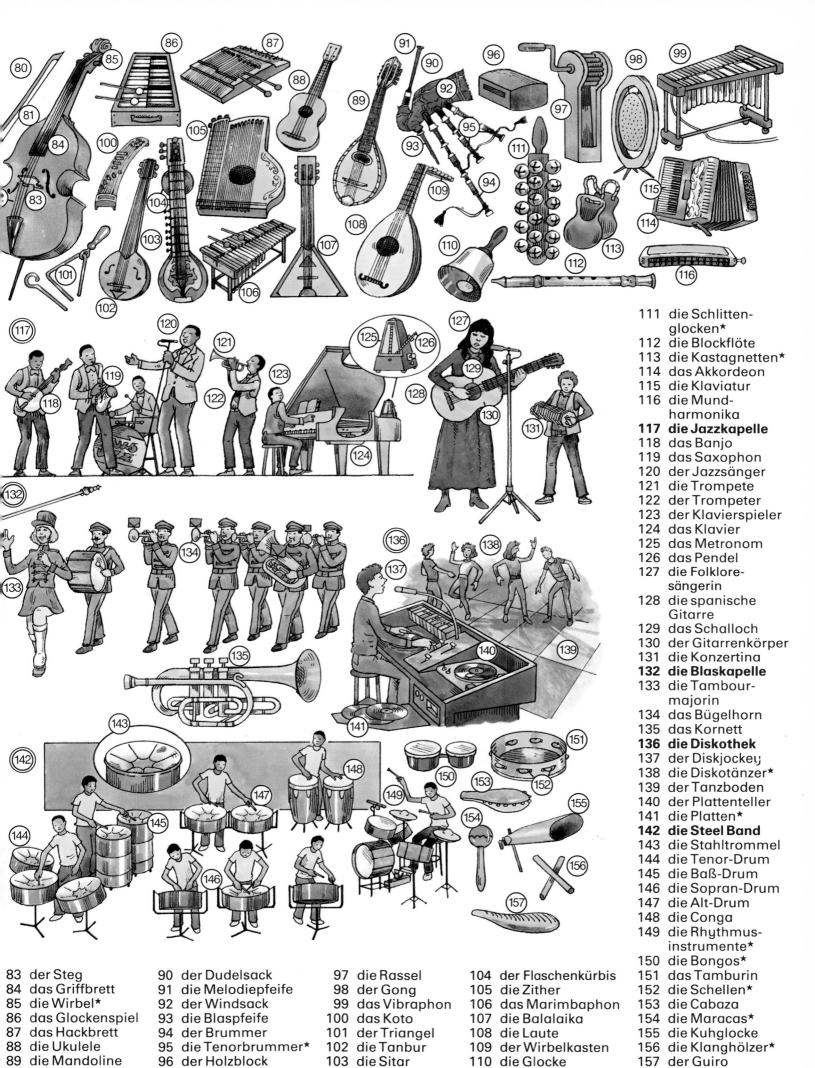

111 die Schlitten-
    glocken*
112 die Blockflöte
113 die Kastagnetten*
114 das Akkordeon
115 die Klaviatur
116 die Mund-
    harmonika
117 die Jazzkapelle
118 das Banjo
119 das Saxophon
120 der Jazzsänger
121 die Trompete
122 der Trompeter
123 der Klavierspieler
124 das Klavier
125 das Metronom
126 das Pendel
127 die Folklore-
    sängerin
128 die spanische
    Gitarre
129 das Schalloch
130 der Gitarrenkörper
131 die Konzertina
132 die Blaskapelle
133 die Tambour-
    majorin
134 das Bügelhorn
135 das Kornett
136 die Diskothek
137 der Diskjockey
138 die Diskotänzer*
139 der Tanzboden
140 der Plattenteller
141 die Platten*
142 die Steel Band
143 die Stahltrommel
144 die Tenor-Drum
145 die Baß-Drum
146 die Sopran-Drum
147 die Alt-Drum
148 die Conga
149 die Rhythmus-
    instrumente*
150 die Bongos*
151 das Tamburin
152 die Schellen*
153 die Cabaza
154 die Maracas*
155 die Kuhglocke
156 die Klanghölzer*
157 der Guiro

83 der Steg
84 das Griffbrett
85 die Wirbel*
86 das Glockenspiel
87 das Hackbrett
88 die Ukulele
89 die Mandoline

90 der Dudelsack
91 die Melodiepfeife
92 der Windsack
93 die Blaspfeife
94 der Brummer
95 die Tenorbrummer*
96 der Holzblock

97 die Rassel
98 der Gong
99 das Vibraphon
100 das Koto
101 der Triangel
102 die Tanbur
103 die Sitar

104 der Flaschenkürbis
105 die Zither
106 das Marimbaphon
107 die Balalaika
108 die Laute
109 der Wirbelkasten
110 die Glocke

23

Auf dem Land

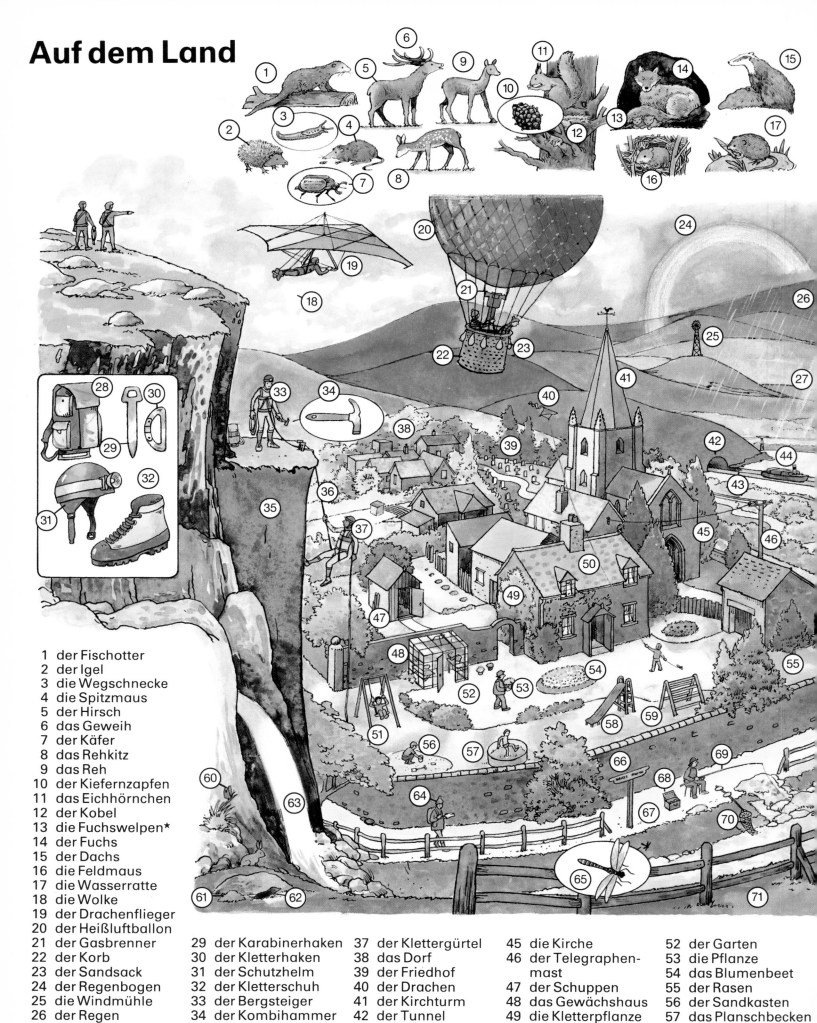

1 der Fischotter
2 der Igel
3 die Wegschnecke
4 die Spitzmaus
5 der Hirsch
6 das Geweih
7 der Käfer
8 das Rehkitz
9 das Reh
10 der Kiefernzapfen
11 das Eichhörnchen
12 der Kobel
13 die Fuchswelpen*
14 der Fuchs
15 der Dachs
16 die Feldmaus
17 die Wasserratte
18 die Wolke
19 der Drachenflieger
20 der Heißluftballon
21 der Gasbrenner
22 der Korb
23 der Sandsack
24 der Regenbogen
25 die Windmühle
26 der Regen
27 das Tal
28 der Rucksack

29 der Karabinerhaken
30 der Kletterhaken
31 der Schutzhelm
32 der Kletterschuh
33 der Bergsteiger
34 der Kombihammer
35 der Felsen
36 das Kletterseil

37 der Klettergürtel
38 das Dorf
39 der Friedhof
40 der Drachen
41 der Kirchturm
42 der Tunnel
43 der Kanal
44 der Schleppkahn

45 die Kirche
46 der Telegraphen-
   mast
47 der Schuppen
48 das Gewächshaus
49 die Kletterpflanze
50 das Haus
51 die Schaukel

52 der Garten
53 die Pflanze
54 das Blumenbeet
55 der Rasen
56 der Sandkasten
57 das Planschbecken
58 die Rutsche
59 das Klettergerüst

24

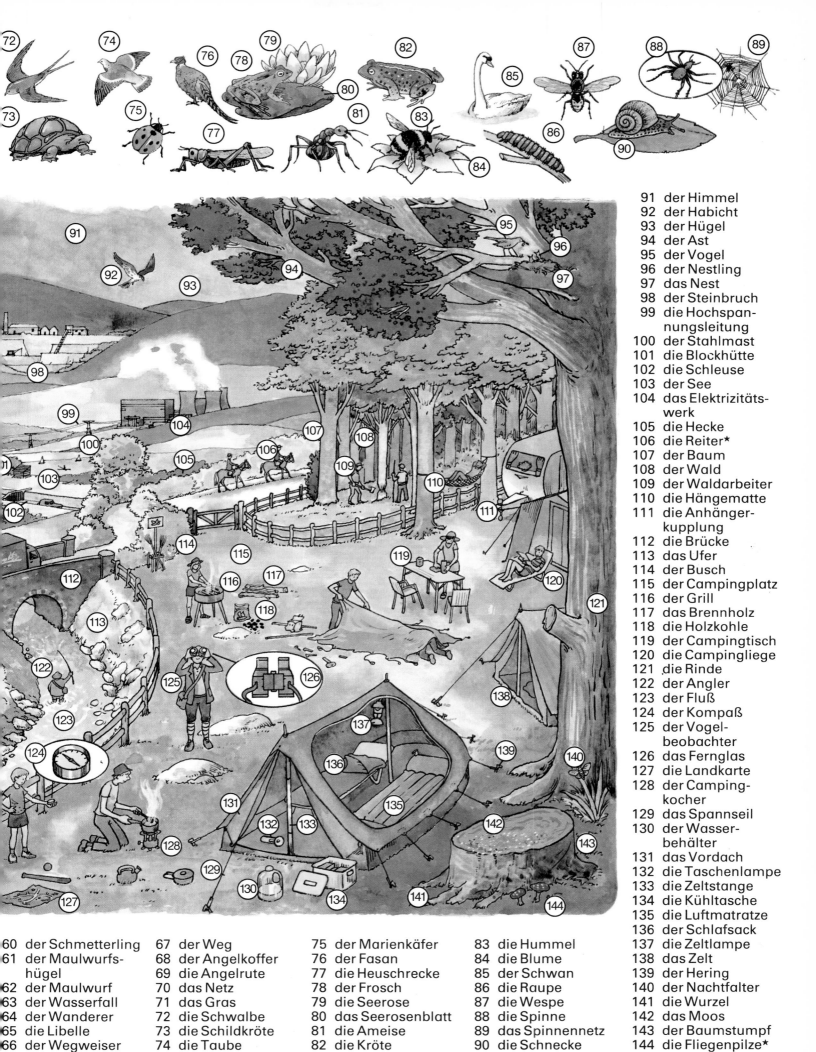

91 der Himmel
92 der Habicht
93 der Hügel
94 der Ast
95 der Vogel
96 der Nestling
97 das Nest
98 der Steinbruch
99 die Hochspan-
nungsleitung
100 der Stahlmast
101 die Blockhütte
102 die Schleuse
103 der See
104 das Elektrizitäts-
werk
105 die Hecke
106 die Reiter*
107 der Baum
108 der Wald
109 der Waldarbeiter
110 die Hängematte
111 die Anhänger-
kupplung
112 die Brücke
113 das Ufer
114 der Busch
115 der Campingplatz
116 der Grill
117 das Brennholz
118 die Holzkohle
119 der Campingtisch
120 die Campingliege
121 die Rinde
122 der Angler
123 der Fluß
124 der Kompaß
125 der Vogel-
beobachter
126 das Fernglas
127 die Landkarte
128 der Camping-
kocher
129 das Spannseil
130 der Wasser-
behälter
131 das Vordach
132 die Taschenlampe
133 die Zeltstange
134 die Kühltasche
135 die Luftmatratze
136 der Schlafsack
137 die Zeltlampe
138 das Zelt
139 der Hering
140 der Nachtfalter
141 die Wurzel
142 das Moos
143 der Baumstumpf
144 die Fliegenpilze*

60 der Schmetterling
61 der Maulwurfs-
hügel
62 der Maulwurf
63 der Wasserfall
64 der Wanderer
65 die Libelle
66 der Wegweiser

67 der Weg
68 der Angelkoffer
69 die Angelrute
70 das Netz
71 das Gras
72 die Schwalbe
73 die Schildkröte
74 die Taube

75 der Marienkäfer
76 der Fasan
77 die Heuschrecke
78 der Frosch
79 die Seerose
80 das Seerosenblatt
81 die Ameise
82 die Kröte

83 die Hummel
84 die Blume
85 der Schwan
86 die Raupe
87 die Wespe
88 die Spinne
89 das Spinnennetz
90 die Schnecke

25

Auf der Straße

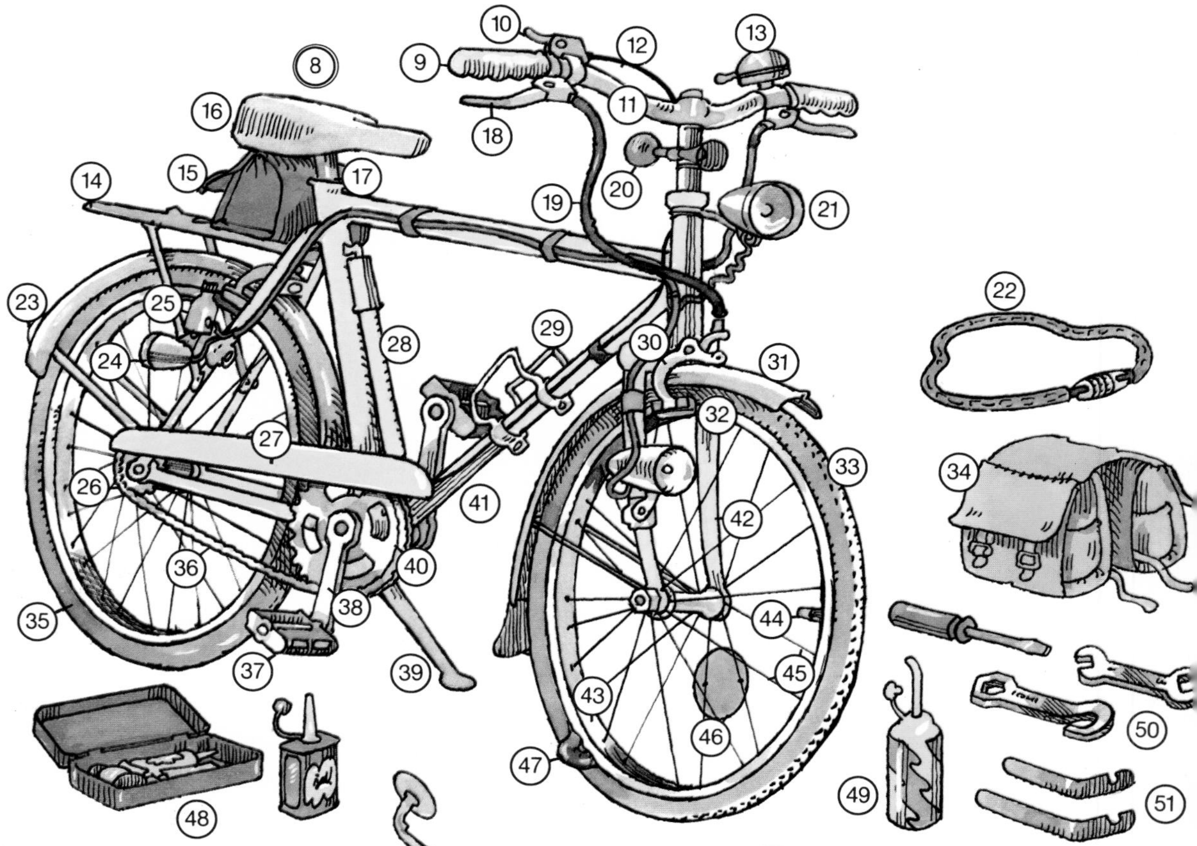

1 das Tandem
2 das Dreirad
3 das Crossrad
4 das Rennrad
5 der Motorroller
6 das Moped
7 das Go-Kart
8 das Fahrrad
9 der Griff
10 der Schalthebel
11 die Lenkstange
12 das Schaltungskabel
13 die Glocke
14 der Gepäckträger
15 die Werkzeugtasche
16 der Sattel
17 die Sattelstütze
18 der Bremshebel
19 das Bremskabel
20 die Hupe
21 die Fahrradlampe
22 das Schloß
23 der Rückstrahler
24 das Rücklicht
25 der Dynamo
26 der Zahnkranz
27 der Kettenschutz
28 die Luftpumpe
29 der Flaschenhalter
30 die Felgenbremse
31 das Schutzblech
32 der Bremsbelag
33 das Vorderrad
34 die Satteltaschen*
35 das Hinterrad
36 die Fahrradkette
37 das Pedal
38 die Tretkurbel
39 der Ständer
40 das Kettenrad
41 der Rahmen
42 die Vorderradgabel
43 die Felge
44 das Ventil
45 die Speichen*
46 der Speichenreflektor
47 der Schlauch
48 das Flickzeug
49 die Trinkflasche
50 der Schrauben-
  schlüssel
51 das Montiereisen
52 das Motorrad
53 der Gasgriff
54 der Schalthebel
55 der Rückspiegel
56 der Beifahrersitz
57 der Benzintank
58 die Zündkerze
59 der Vergaser
60 der Kickstarter
61 die Trommelbremse
62 die Scheibenbremse
63 die Teleskopgabel
64 das Bremspedal
65 die Fußstütze
66 der Auspufftopf

67 die Handschuhe*
68 das Visier
69 der Schutzhelm
70 der Sportwagen
71 der Rennwagen
72 der Dragster
73 der Beiwagen
74 der Buggy
75 der Oldtimer
76 der Landrover
77 der Lieferwagen
78 der Abschlepp -
  wagen
79 der Tankwagen
80 der Möbelwagen
81 der Wohnwagen
82 der Autotransporter
83 der Reisebus
84 der Linienbus
85 der Doppeldeckerbus
86 der Obus
87 der Kombiwagen
88 der Krankenwagen
89 die Feuerwehr
90 das Müllauto
91 der Lastwagen
92 der Kipplaster

93 die Werkstatt
94 die Zapfsäule
95 die Waschanlage
96 der Prüfstand
97 der Dachgepäckträger
98 der Mechaniker
99 die Hebebühne
100 das Luftdruckmeßgerät

101 das Auto
102 der vordere Kotflügel
103 die Parkleuchte
104 die vordere
  Stoßstange
105 der Scheinwerfer
106 der Kühler
107 der Keilriemen

108 der Ventilato
109 der Zylinderk
110 der Luftfilter
111 die Batterie
112 der Außensp
113 die Federung
114 das Fahrgest
115 der Kolben

16 der Verteiler	123 das Armaturenbrett	131 die Handbremse	139 der Rückfahr-	146 der Tankdeckel
17 der Ölfilter	124 der Sicherheitsgurt	132 der Rücksitz	scheinwerfer	147 die Radnabe
18 die Ölwanne	125 die Kopfstütze	133 der Auspufftopf	140 die Fußpumpe	148 der Bremskeil
19 das Tachometer	126 das Gaspedal	134 das Kardangelenk	141 das Nummernschild	149 die Ölkanne
20 die Benzinuhr	127 die Fußbremse	135 die Antriebswelle	142 das Auspuffrohr	150 der Werkzeugkasten
21 die Windschutz-	128 die Kupplung	136 der Kofferraum	143 die hintere Stoßstange	151 der Kreuzschlüssel
scheibe	129 das Getriebe	137 das Bremslicht	144 das Rücklicht	152 der Wagenheber
22 das Lenkrad	130 der Schaltknüppel	138 das Reserverad	145 das Blinklicht	153 der Reifen

27

In der Stadt

76 der Lehrer	80 der Müllwagen	84 die Schaufenster-	87 die Auffahrt
77 der Schüler	81 der Abfall	puppe	88 der Buggy
78 das Taxi	82 die Drehtür	85 der Träger	89 die Politesse
79 der Straßenkehrer	83 der Dekorateur	86 der Patient	90 die Parkuhr

91 die Parkbank
92 die Kinderfrau
93 der Kinderwagen
94 der Springbrunnen
95 der Park
96 der Torpfosten
97 das Gitter
98 der Motorradfahrer
99 der Beifahrer
100 die Haltestelle
101 der Busfahrer
102 die Fahrgäste*
103 der Rauch
104 der Feuerwehr-
mann
105 das Blaulicht
106 das Feuer
107 der Wasser-
schlauch
108 das Sprungtuch
109 die Reklame
110 der Bücherstand
111 der Buchhändler
112 die Tragetasche
113 der Schuhstand
114 die Schuhe*
115 der Andenken-
stand
116 die T-shirts*
117 der Poster
118 die Buttons*
119 der Obststand
120 die Trage
121 der Unfall
122 der Hydrant
123 der Bürgersteig
124 die Bordsteinkante
125 der Stadtstreicher
126 die Gemälde*
127 die Ampel
128 der Gemüsestand
129 der Spielzeugstand
130 der Bekleidungs-
stand
131 der Pullover
132 die Hosen*
133 die Kleider*
134 die Hüte*
135 der Kleiderständer
136 die Socken*
137 die Mäntel*
138 der Blumen-
verkäufer
139 der Stadtplan
140 der Umformer
141 der Kanaldeckel
142 der Abfallkorb
143 der Zebrastreifen
144 der Fußgänger
145 der Einstiegschacht
146 die Stromleitung
147 der Mann
148 die Unterführung
149 das Wasserrohr
150 das Abwasser
151 die Kanalisation
152 der Schieber-
schacht
153 der Absperr-
schlüssel
154 der Gully

Spielzeuge und Spiele

1 die Puppe
2 die Stoffpuppe
3 die Prinzessin
4 der Prinz
5 der König
6 die Krone
7 die Königin
8 die Fee
9 der Zauberstab
10 die Ballerina
11 der Besen
12 die Hexe
13 die Braut
14 der Bräutigam
15 das Blumen-
   mädchen
16 der Blumenjunge
17 der Matrose
18 das Mobile
19 der Papagei
20 die Tafel
21 das Etui
22 der Füller
23 der Kugelschreiber
24 die Bleistifte*
25 die Wachsmalstifte*
26 der Radiergummi
27 das Lineal
28 die Wasserfarben*
29 die Filzstifte*
30 die Ziffern*
31 die Buchstaben*
32 der Notizblock
33 der Abakus
34 die Perlen*
35 die Bausteine*
36 der Magnet
37 der Globus
38 der Chemiekasten
39 das Reagenzglas
40 der Spiritusbrenner
41 der Becher
42 der Trichter
43 der Glaskolben
44 die Lupe
45 das Mikroskop
46 das Kaleidoskop
47 die Luftballons*
48 die Papierhüte*
49 die Feuerwerks-
   körper*
50 die Laterne
51 der Totempfahl
52 das Indianerzelt
53 der Kopfschmuck
54 der Indianer-
   häuptling
55 die Indianerfrau
56 das Indianerbaby
57 das Fort
58 der Reiter
59 der Indianerkrieger
60 der Tomahawk
61 der Schachtelteufel
62 die Musikbox
63 die Spardose

64 das Riesenrad
65 das Karussell
66 das Schaukelpferd
67 das Marionetten-
   theater
68 die Marionette
69 die Kasperlepuppe
70 das Puppenhaus
71 die Puppenwiege
72 der Eisbär
73 der Panda
74 das Nashorn
75 das Kamel
76 die Pinguine*
77 das Känguruh

30

78	das Zebra	83	der Engel	88	die Seeschlange	93	der Weihnachts-	96	der Weihnachts-

78 das Zebra
79 der Leopard
80 der Affe
81 das Krokodil
82 das Gespenst

83 der Engel
84 der Zauberer
85 die Pistole
86 der Seeräuber
87 der Schatz

88 die Seeschlange
89 der Drachen
90 der Kobold
91 der Zwerg
92 der Schlitten

93 der Weihnachts-
   mann
94 der Teddybär
95 das Rentier

96 der Weihnachts-
   strumpf
97 die Geldbörse
98 das Geld
99 die Stickerei
100 die Wolle
101 die Stricknadel
102 der Panzer
103 die Infanteristen*
104 der Kranwagen
105 die Planierraupe
106 das Rennauto
107 die Modell-
    Rennbahn
108 das Raumschiff
109 das Steckenpferd
110 der Springstock
111 die Stelzen*
112 der Hula-Hoop-
    Reifen
113 der Roller
114 das Springseil
115 der Kreisel
116 die Kegel
117 die Murmeln*
118 das Brettspiel
119 die Spielkarten*
120 die Würfel*
121 die Spielmarken*
122 das Schachbrett
123 die Schachfiguren*
124 das Puzzle
125 die Dominosteine*
126 das Holzpuzzle
127 der Billardtisch
128 die Billardkugel
129 das Queue
130 der Roboter
131 die Rassel
132 der Picknickkoffer
133 das Taschenmesser
134 der Schlüssel-
    anhänger
135 die Schlüssel*
136 die Taschenlampe
137 die Schreib-
    maschine
138 das Radio
139 der Plattenspieler
140 das Funksprech-
    gerät
141 der Kassetten-
    recorder
142 die Kassetten*
143 die Elektronikspiele*
144 die Kassette
145 das Telespiel
146 der Steuerknüppel
147 der Computer
148 der Taschenrechner
149 der Tiger
150 der Löwe
151 der Elefant
152 das Flußpferd
153 der Koalabär
154 die Giraffe
155 der Strauß
156 der Büffel
157 der Wolf
158 die Schlange
159 der Dinosaurier

Berufe

1 **der Weber**
2 das Farbbad
3 der Webstuhl
4 das Gewebe
5 der Kettbaum
6 das Sperrwerk
7 die Trittbretter*
8 das Garn
9 das Schiffchen
10 der Kamm
11 die Garnwickel-
   maschine
12 **der Töpfer**
13 der Brennofen
14 der Ton
15 die Modellierhölzer*
16 der Greifzirkel
17 das Töpfermesser
18 die Modellier-
   schlinge
19 der Schneidedraht
20 die Töpferscheibe
21 das Spritzbecken
22 die Glasur
23 **der Schmied**
24 der Streckhammer
25 der Setzhammer
26 der Stempel
27 das Schnörkeleisen
28 die Schnörkel-
   klammer
29 der Schraubstock
30 die Feuerhaken*
31 der Rauchfang
32 das Eisen
33 der Löschtrog
34 die Zangen*
35 die Lochplatte
36 der Beschlagkasten
37 der Stößel
38 der Vorschlag-
   hammer
39 der Amboß
40 **der Kunstmaler**
41 die Leinwand
42 das Modell
43 der Keilrahmen
44 der Malkasten
45 die Ölfarben*
46 der Kittel
47 der Lappen
48 die Staffelei
49 der Zeichenblock
50 das Podest
51 der Drahthefter
52 die Palette
53 der Palettstecker
54 das Palettmesser
55 der Pinsel
56 der Malspachtel
57 die Kohlestifte*
58 das Terpentin
59 **der Gärtner**
60 der Komposthaufen
61 das Spalier
62 die Glasglocke
63 die Blumentöpfe*
64 das Frühbeet

65 die Schnur
66 das Pflanzholz
67 die Arbeitshand-
   schuhe*
68 die Gartengeräte*

69 der Schubkarren
70 die Heckenschere
71 der Rasenmäher
72 der Spankorb
73 die Setzlinge*

74 die Saatkiste
75 die Gießkanne
76 die Tülle
77 die Blumenzwiebeln*
78 die Gartenschere

79 **die Schneiderin**
80 die Nähmaschin
81 die Garnrolle
82 die Oberfaden-
   spannung

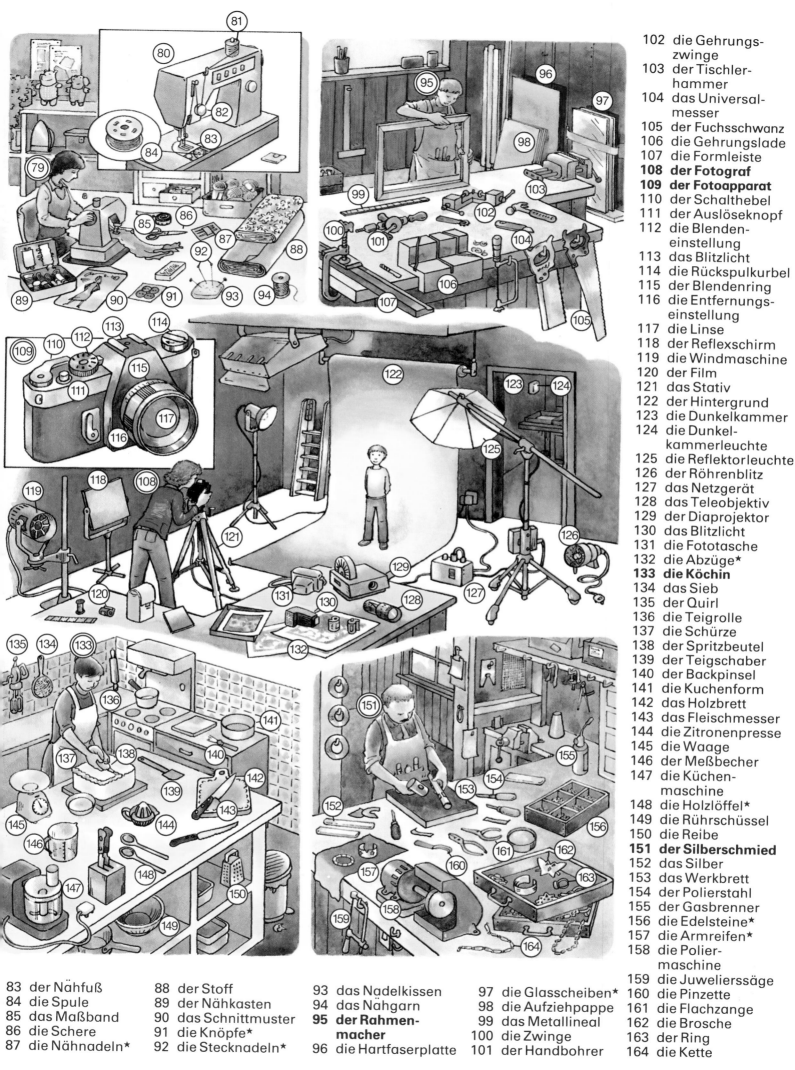

102 die Gehrungs-
    zwinge
103 der Tischler-
    hammer
104 das Universal-
    messer
105 der Fuchsschwanz
106 die Gehrungslade
107 die Formleiste
108 der Fotograf
109 der Fotoapparat
110 der Schalthebel
111 der Auslöseknopf
112 die Blenden-
    einstellung
113 das Blitzlicht
114 die Rückspulkurbel
115 der Blendenring
116 die Entfernungs-
    einstellung
117 die Linse
118 der Reflexschirm
119 die Windmaschine
120 der Film
121 das Stativ
122 der Hintergrund
123 die Dunkelkammer
124 die Dunkel-
    kammerleuchte
125 die Reflektorleuchte
126 der Röhrenblitz
127 das Netzgerät
128 das Teleobjektiv
129 der Diaprojektor
130 das Blitzlicht
131 die Fototasche
132 die Abzüge*
133 die Köchin
134 das Sieb
135 der Quirl
136 die Teigrolle
137 die Schürze
138 der Spritzbeutel
139 der Teigschaber
140 der Backpinsel
141 die Kuchenform
142 das Holzbrett
143 das Fleischmesser
144 die Zitronenpresse
145 die Waage
146 der Meßbecher
147 die Küchen-
    maschine
148 die Holzlöffel*
149 die Rührschüssel
150 die Reibe
151 der Silberschmied
152 das Silber
153 das Werkbrett
154 der Polierstahl
155 der Gasbrenner
156 die Edelsteine*
157 die Armreifen*
158 die Polier-
    maschine
159 die Juwelierssäge
160 die Pinzette
161 die Flachzange
162 die Brosche
163 der Ring
164 die Kette

83	der Nähfuß	88	der Stoff	93	das Nadelkissen	97	die Glasscheiben*
84	die Spule	89	der Nähkasten	94	das Nähgarn	98	die Aufziehpappe
85	das Maßband	90	das Schnittmuster	**95**	**der Rahmen-**	99	das Metallineal
86	die Schere	91	die Knöpfe*		**macher**	100	die Zwinge
87	die Nähnadeln*	92	die Stecknadeln*	96	die Hartfaserplatte	101	der Handbohrer

Auf den Schienen ①

34

92 die Speisekarte
93 der Kellner
94 der Barkeeper
95 die Flaschen*
96 die Toilette
97 der Verbindungs-
gang
98 der Personen-
wagen
99 die Aktentasche
100 die Gepäckablage
101 der Sitz
102 die Armstütze
103 der Schaffner
104 der Gabelstapler
105 der Gepäckkarren
106 das Gepäck
107 das Selbst-
bedienungs-
restaurant
108 die Theke
109 der Fotoautomat
110 der Zugführer
111 der Warteraum
112 der Fahrplan
113 die Streckenkarte
**114 die Dampf-
lokomotive**
115 die Rauch-
kammertür
116 das Drehgelenk
117 der Schornstein
118 das Blasrohr
119 die Rauchkammer
120 der Kessel
121 der Dampfdom
122 der Wasserzulauf
123 die Heizrohre*
124 der Hinterkessel
125 die Sicherheits-
ventile*
126 der Hebel für das
Pfeifsignal
127 der Regler
128 der Steuerhebel
129 der Führerstand
130 der Lokomotiv-
führer
131 der Führersitz
132 der Tender
133 die Kohle
134 der Wassertank
135 der Brems-
schlauch
136 das Laufrad
137 der Dampfzylinder
138 das Sandstreuer-
rohr
139 die Kolbenstange
140 der Kreuzkopf
141 die Pleuelstange
142 die Kurbel
143 die Kuppelstange
144 das Treibrad
145 der Aschkasten
146 der Rost
147 das Achslager

74 die Schiene
75 die Schienenlasche
76 der Dorn
77 die Sockelplatte
78 die T-Schiene

**79 die Diesel-
lokomotive**
80 das Zugbahn-
funkgerät
81 der Generator

82 das Drehgestell
83 der Wagenmeister
84 der Dieselmotor
85 die Kühlanlage
86 der Kühlventilator

87 die Signalhörner*
88 der Personenzug
89 das Schlafabteil
90 das Klappbett
91 der Speisewagen

35

Im Studio

1 die Schauspielerin
2 der Schauspieler
3 die Produzentin
4 das Drehbuch
5 der Drehbuchautor
6 der Aufnahmeleiter
7 das Klemmbrett
8 das Aktenschränk-
chen
9 das Tonbandgerät
10 der Rollwagen
11 der Kulissenmaler
12 die Kulisse
13 der Prospekt
14 der Grundriß
15 die Schreibtisch-
lampe
16 der Filmarchitekt
17 der Kulissenbauer
18 das Reißbrett
19 das Bühnenbild-
Modell
20 das Requisitenlager
21 das Skelett
22 der Requisiteur
23 die Krücke
24 die Masken*
25 der Rollstuhl
26 der Thron
27 die künstliche
Pflanze
28 die Urkunde
29 das Grammophon
30 der Kostümraum
31 die Mützen*
32 die Haube
33 der Umhang
34 der Zylinder
35 die Stola
36 der Schleier
37 der Kleiderbügel
38 das Ballettröckchen
39 das historische
Kostüm
40 das Blumen-
sträußchen
41 die Kostümbildnerin
42 das Hochzeitskleid
43 der Gürtel
44 der Regenmantel
45 der Ärmel
46 der Kragen
47 die Orden*
48 die Uniform
49 die Krawatten*
50 die Blusen*
51 die Brille
52 die Perücken*
53 die Spiegelbeleuch-
tung
54 das Stethoskop
55 die Weste
56 die Masken-
bildnerin
57 die Lockenwickler*
58 die Schnurrbärte*
59 die Narbe

60 der Fön
61 die Watte
62 die Knetmasse
63 der falsche Bart
64 die Pappnase

65 die Schminke
66 das Gebiß
67 der Schminkkoffer
68 der Lippenstift
69 der Gesichtspuder

70 die Puderquaste
71 die Kopfhörer*
72 der Teleprompter-
Bediener
73 der Teleprompter

36

74	die Wetterbericht-sprecherin	78	das Pult	82	das Deckenoberlicht	87	der Vorhang	91	die Spritze
75	die Wetterkarte	79	der Ohrhörer	83	die Spot-Leuchte	88	der Morgenmantel	92	das Fieber-thermometer
76	das Textlaufband	80	der Nachrichten-sprecher	84	das Kopftuch	89	die Arzneiflasche	93	der Arzt
77	die Digitaluhr	81	**das Studio**	85	die Putzfrau	90	die Kranken-schwester	94	der Kalender
				86	der Mop			95	der Tropf

96 der Gipsverband
97 das Geschenk
98 der Besucher
99 das Gewicht
100 der Studioarbeiter
101 der Regieassistent
102 die Bandage
103 das Pflaster
104 die Tabletten*
105 der Galgen-assistent
106 der Galgen
107 das Mikrophon
108 die Temperatur-kurve
109 die Studiokamera
110 der Tontechniker
111 der Kameramann
112 der Aufnahme-leiter
113 der Videorecorder
114 der Studiomonitor
115 der Kamerakran
116 die Gummilinse
117 die Kamerakarte
118 der Sucher
119 die Entfernungs-einstellung
120 das Fußgestell
121 das Kamerakabel
122 **die Tonregie**
123 der Tontechniker
124 der Toningenieur
125 **der Regieraum**
126 der Bildmischer
127 der Regisseur
128 der Monitor
129 die Stoppuhr
130 die Regieassistentin
131 der technische Direktor
132 **die Bildregie**
133 der Bildingenieur
134 der Beleuchtungs-techniker
135 die Filmkamera
136 die Klappe
137 der Stetson
138 der Sheriff
139 die Pistolentasche
140 die Sporen*
141 die Cowboyhose
142 die Kugeln*
143 die Handschellen*
144 die Pistole
145 das Lasso
146 die Filmbauten*
147 der Tonmeister
148 der Cowboy
149 der Bandit
150 die Kutsche
151 der Stuntman
152 der Geldsack
153 der Luftsack

Auf dem Wasser

1 **der Passagier-dampfer**
2 das Schwimmbad
3 das Gymnastikdeck
4 der Blumenladen
5 die Einkaufspassage
6 das Sonnendeck
7 der Schornstein
8 das Windleitblech
9 der Nachtklub
10 der Ausguckturm
11 die Kommando-brücke und der Kartenraum
12 der Mannschafts-raum
13 der Autolift
14 die Kabinen*
15 die Einbettkabine
16 die Luxuskabinen*
17 die Cocktailbar
18 die Bücherei
19 das Theater und der Vortragsaal
20 das Casino
21 der Kosmetiksalon
22 die Wäscherei
23 der Ballsaal
24 der Weinkeller
25 das Restaurant
26 das Kinderspiel-zimmer
27 die Bullaugen*
28 die Bugstrahlruder*
29 die Schleppklüse
30 **das Luftkissen-fahrzeug**
31 das Kontrolldeck

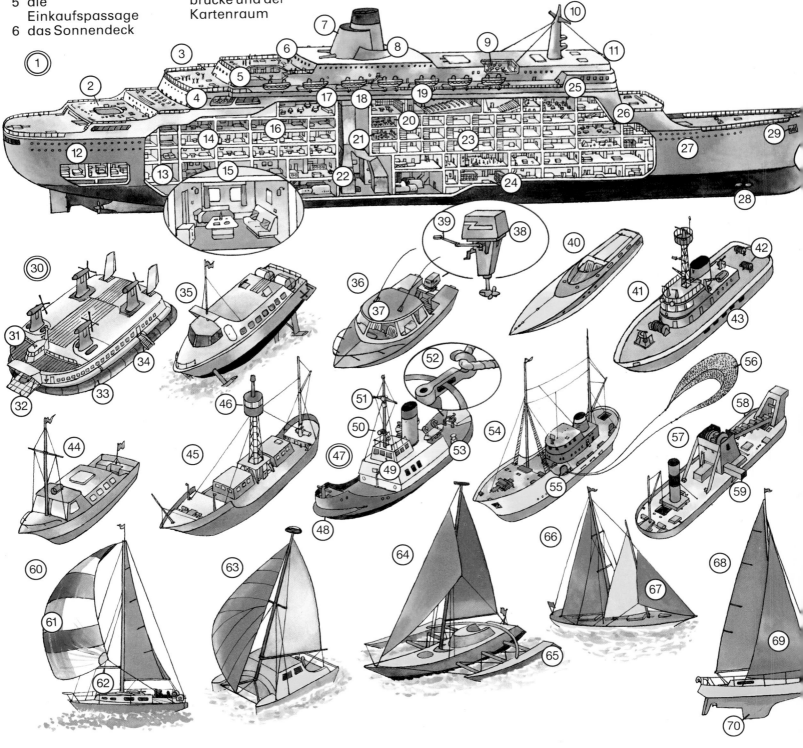

67 das Focksegel
68 die Rennjacht
69 das Vorsegel
70 der Kiel
71 die Leuchtrakete
72 der Sextant
73 der Rettungsring
74 die Latte
75 der Segelsack
76 der Windmesser
77 das Barometer
78 die Karte
79 das Paddel
80 der Fender
81 der Wimpel
82 der Schöpfeimer
83 der Bootskarren
84 **das Frachtschiff**
85 das Achterdeck
86 der Schiffskran
87 die Rettungsboote*
88 der Schornstein
89 das Nebelhorn
90 das Ruderhaus
91 die Saling
92 der Mastkorb
93 das Vordeck
94 der Ladekran
95 die Back
96 die Ankerwinde
97 die Gösch
98 der Flaggenstock
99 der Rumpf
100 die Schraubenwelle
101 die Turbinen*
102 der Maschinenraum
103 die Ankerkette
104 **der Tanker**
105 der Feuerturm
106 die Muringwinde
107 der Ladepfosten
108 die Frachttanks*
109 **die Rettungs-barkasse**
110 die Reling

32	die Autorampe	38	der Außenbord-	45	das Feuerschiff	51	die Schlepplichter*	59	die Schütte
33	die verformbare		motor	46	die Laterne	52	der Schlepphaken	60	die Schaluppe
	Schürze	39	der Lenkhebel	**47**	**der Bugsier-**	53	die Winde	61	der Spinnaker
34	der Passagier-	40	das Rennboot		**schlepper**	54	der Fischtrawler	62	der Spinnakerbaum
	aufgang	41	das Feuerlöschboot	48	der Bugfender	55	der Schleppgalgen	63	der Katamaran
35	das Tragflügelboot	42	die Schlauchrollen*	49	das Kartenhaus	56	das Schleppnetz	64	der Trimaran
36	das Motorboot	43	die Speigatten*	50	der Suchschein-	57	der Eimerbagger	65	das Auslegerboot
37	das Deckhaus	44	das Polizeiboot		werfer	58	die Eimerkette	66	der Schoner

111	das Rettungs-	119	die Aufprall-	127	die Dolle	136	das Großsegel	145	die Fußschlaufe
	schlauchboot		barriere	128	der Stechkahn	137	die Lattentasche	146	die Fockschot
112	der Schleppkran	120	das Auffangnetz	129	die Dschunke	138	der Klüver	147	das Schwert
113	**der Flugzeugträger**	121	die Autofähre	**130**	**das Segelboot**	139	der Bug	148	die Flaggenleine
114	das Fangseil	122	das Autodeck	131	der Rudergänger	140	das Heck	149	das Ruder
115	das Hangardeck	123	der Klappbug	132	der Vorschotmann	141	der Traveller	150	das Lenzloch
116	der Startkatapult	124	die Dau	133	das Backbord	142	der Tragtank	151	das Steuerbord
117	der Flugzeuglift	125	die Gondel	134	das Signalstag	143	der Heckspiegel	152	die Großschot
118	der Düsenjäger	126	das Ruderboot	135	der Mast	144	die Pinne	153	die Ducht
								154	der Baumnieder-
									holer
								155	der Großbaum
								156	der Block

Im Weltraum

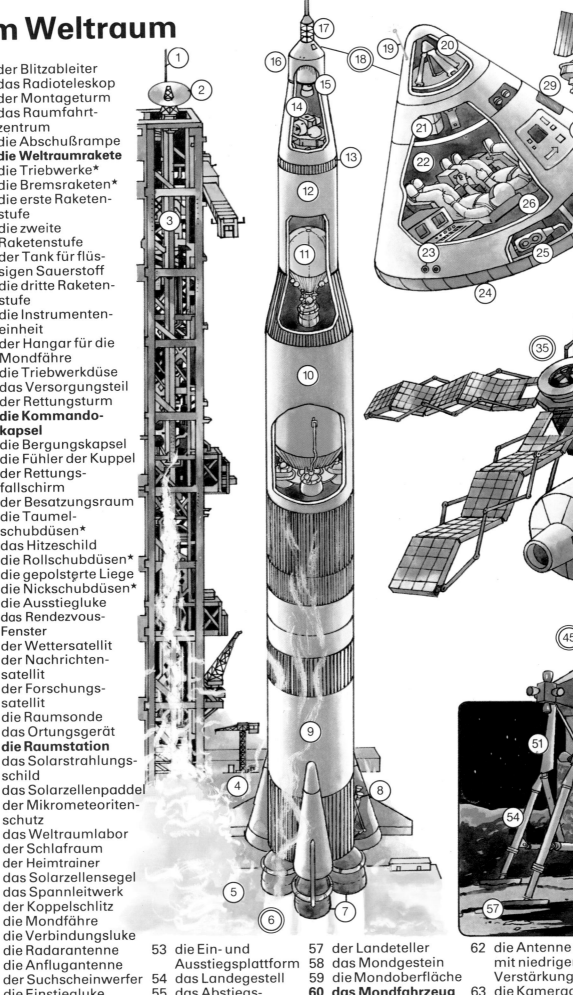

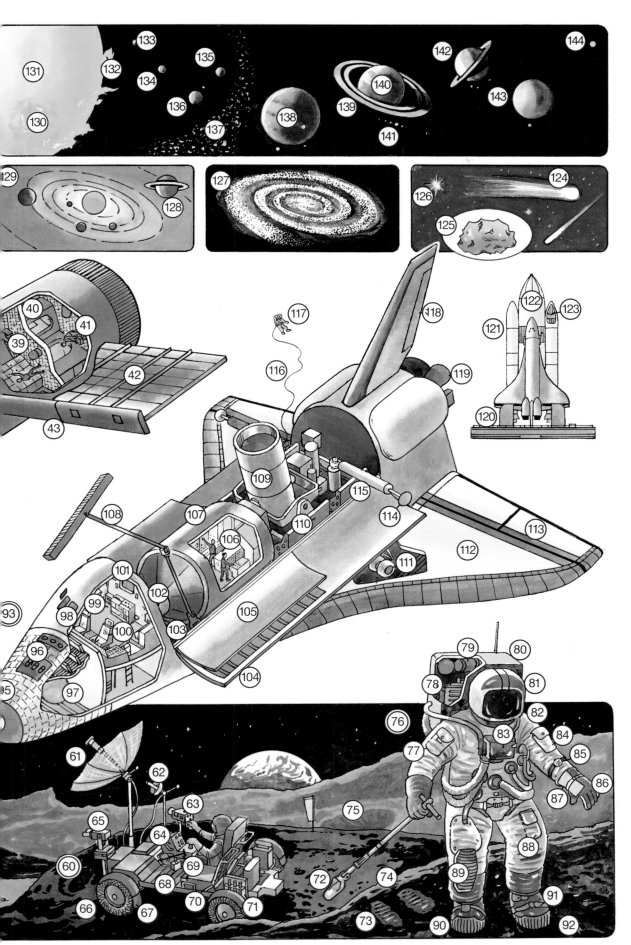

89 der innere Gummianzug
90 der Überschuh
91 der Verschluß
92 der Mondspaziergang
93 die Raumfähre
94 die Bugspitze
95 die Wärmeziegel*
96 die Steuertriebwerke*
97 der Sauerstofftank
98 der Pilotensitz
99 die Steuerzentrale
100 der Sitz des Kommandanten
101 das hintere Beobachtungsfenster
102 der Verbindungstunnel
103 der Nutzlastraum
104 Zugang zum Nutzlastraum
105 die Heizung
106 die Wissenschaftler*
107 das Raumlaboratorium
108 der steuerbare Schwenkarm
109 das Raumteleskop
110 der Teleskopschlitten
111 das Hauptfahrwerk
112 der Deltaflügel
113 die Ruderklappe
114 das Sensor
115 das Magnetometer
116 das Versorgungskabel
117 der Raumspaziergang
118 die Bremsklappe
119 das Steuertriebwerk
120 die Abschußrampe
121 die Feststoffrakete
122 der Treibstofftank
123 der Bremsfallschirm
124 der Komet
125 der Meteorit
126 der Stern
127 die Milchstraße
128 der Planet
129 das Sonnensystem
130 die Sonnenflecken*
131 die Sonne
132 die Sonnenfackel
133 der Merkur
134 die Venus
135 der Mars
136 die Erde
137 die Planetoiden*
138 der Jupiter
139 die Saturn-Ringe*
140 der Saturn
141 der Mond
142 der Uranus
143 der Neptun
144 der Pluto

70 der Stauraum unter dem Sitz
71 die Werkzeugtasche
72 die Schaufel
73 der Fußstapfen
74 der Mondstaub
75 der Mondkrater
76 der Astronaut
77 die Tasche für die Sonnenbrille
78 das Sprechfunkgerät
79 der Sauerstofftank
80 das tragbare Lebenserhaltungssystem
81 der Druckhelm
82 der Raumanzug
83 der Steuerungskasten
84 die Tasche für die Stablampe
85 der Zeitschreiber
86 der Mondhandschuh
87 die Kontrolliste
88 die Mehrzwecktasche

Index

This is a list of all the words in the book. They are in the same order as they appear in the pictures. The German word comes first and then its meaning in English. Before each German word there is a number. This tells you what number the object is on the page.

#	German	English
39	das Handtuch	towel
40	die Wasserhähne*	taps
41	der Sohn	son
42	das Waschbecken	washbasin
43	die Badewanne	bath
44	die Personenwaage	bathroom scales
45	die BademateTe	bathmat
46	die Toilette	lavatory
47	der Wäschekorb	laundry basket
48	die Vase	vase
49	die Tür	door
50	die Standuhr	grandfather clock
51	der Hamster	hamster
52	die Mutter	mother
53	die Patch-workdecke	patchwork quilt
54	der Staubsauger	vacuum cleaner
55	die Tochter	daughter
56	der Schaukelstuhl	rocking chair
57	das Etagenbett	bunkbeds
58	das Aquarium	fish tank
59	der Blumenkasten	window box
60	der Vorbau	porch
61	**die Küche**	kitchen
62	die Türglocke	chimes
63	die Klingel	door bell
64	die Katzenklappe	cat flap
65	der Knochen	bone
66	der Futternapf	dog bowl
67	der Wäschetrockner	tumble dryer
68	der Vogelkäfig	bird cage
69	der Küchenschrank	kitchen cabinet
70	die Arbeitsfläche	worktop
71	die Spüle	sink
72	die Jalousie	blind
73	die Ablage	draining board
74	die Großmutter	grandmother
75	der Backofen	oven
76	die Geschirrspül-maschine	dishwasher
77	das Tablett	tray
78	die Wasch-maschine	washing machine
79	der Kühlschrank	refrigerator
80	der Gefrierschrank	freezer
81	die Anrichte	dresser
82	die Obstschale	fruit bowl
83	das Bügeleisen	iron
84	das Bügelbrett	ironing board
85	die Tischdecke	tablecloth
86	der Tisch	table
87	der Hocker	stool
88	der Abfalleimer	bin
89	das Brotbrett	bread board
90	das Set	table mat
91	das Glas	glass
92	die Serviette	napkin
93	der Milchkrug	milk jug
94	der Stuhl	chair
95	der Hundekorb	dog basket
96	der Schirmständer	umbrella stand
97	das Portrait	portrait
98	**der Flur**	hall
99	der Garderoben-ständer	coat rack
100	das Telefon	telephone
101	die Telefonbücher*	telephone directories
102	die Fußmatte	doormat
103	**das Wohnzimmer**	sitting room
104	das Bücherregal	bookcase
105	der Bilderrahmen	photograph frame
106	der Plattenspieler	record deck
107	die Stereoanlage	stereo
108	das Sofa	sofa
109	der Großvater	grandfather
110	das Regal	shelf
111	der Zeitungs-ständer	magazine rack
112	das Fenster	window
113	das Fernsehgerät	television
114	der Sessel	armchair
115	der Sofatisch	coffee table
116	der Aschenbecher	ashtray
117	der Läufer	rug
118	der Papierkorb	wastepaper basket
119	die Zahnbürste	toothbrush
120	die Seife	soap
121	die Zahnpasta	toothpaste
122	das Badesalz	bath salts
123	die Tasse	cup
124	die Untertasse	saucer
125	der Kamm	comb
126	die Haarbürste	hair brush
127	das Haarwasch-mittel	shampoo
128	der Teller	plate
129	die Suppenschale	soap bowl
130	das Staubtuch	duster
131	die Politur	polish
132	die Kehrschaufel	dustpan
133	die Scheuerbürste	scrubbing brush
134	die Teekanne	teapot
135	die Kaffeekanne	coffee pot
136	das Waschpulver	washing powder
137	die Zuckerschale	sugar bowl
138	die Butterdose	butter dish
139	der Toaster	toaster
140	der Dosenöffner	tin opener
141	der Mixer	blender
142	das Messer	knife
143	die Gabel	fork
144	der Löffel	spoon
145	der Toastständer	toast rack
146	das Fleischmesser	carving knife
147	die Fleischgabel	carving fork
148	der Korkenzieher	corkscrew
149	die Eieruhr	egg timer
150	der Kochtopf	saucepan
151	die Bratpfanne	frying pan
152	der Schmortopf	casserole dish
153	die Schöpfkelle	ladle
154	der Salzstreuer	salt cellar
155	die Pfeffermühle	peppermill
156	der Kerzenständer	candlestick
157	das Sieb	colander
158	der elektrische Wasserkessel	kettle

Sports I (pages 8-9)

#	German	English
1	der Startblock	starting block
2	der Sprinter	sprinter
3	die Spikes*	track shoe
4	der Leichtathlet	athlete
5	das Stadion	stadium
6	die Laufbahn	running track
7	der Sportplatz	arena
8	die Zuschauer*	spectators
9	der Trainer	coach
10	der Marathonläufer	marathon runner
11	die Startpistole	starting gun
12	die Wettkämpfer*	competitors
13	der Sieger	winner
14	die Ziellinie	finishing line
15	der Wassergraben	water jump
16	der Hindernisläufer	steeplechaser
17	der Hürdenläufer	hurdler
18	die Hürde	hurdle
19	der Weitsprung	long jump
20	der Hochsprung	high jump
21	die Latte	crossbar
22	das Absprungbett	take-off board
23	der Dreisprung	triple jump
24	der Stab-hochsprung	pole vault
25	der Geher	race walker
26	der Speer	javelin
27	der Diskuswerfer	discus thrower
28	das Kugelstoßen	shot put
29	der Hammer-wurfkäfig	safety cage
30	der Hammerwerfer	hammer
31	der Staffellauf	relay race
32	der Staffelstab	baton
33	die Gewicht-scheiben*	discs
34	die Scheibenhantel	barbell
35	der Gewichtheber	weightlifter
36	die Ringerstiefel*	wrestling boots
37	der Ringer	wrestler
38	der Ringkämpfer	contestant
39	die Steuerfeder	flight
40	der Wurfpfeil	dart
41	der Pfeilwerfer	darts player
42	der Anschreiber	scorer
43	die Anschreibetafel	scoreboard
44	die Zielscheibe	dartboard
45	**das Karate**	karate
46	der Seitfußstoß	high kick
47	der Karateanzug	karate suit
48	**das Judo**	judo
49	der schwarze Gürtel	black belt
50	der Judoka	judoka
51	**das Boxen**	boxing
52	der Kopfschutz	headguard
53	der Boxer	boxer
54	der Ringrichter	referee
55	der Boxring	boxing ring
56	das Eckpolster	corner cushion
57	der Punktrichter	judge
58	der Zeitnehmer	time keeper
59	der Gong	gong
60	der Manager	manager
61	der Sekundant	second
62	der Plattformball	speedball
63	der Sandsack	punchbag
64	der Punchingball	punchball
65	die Hantel	dumb-bell
66	**das Fechten**	fencing
67	die Fechtmaske	fencing mask
68	der Fechtmeister	fencing master
69	der Fechter	swordsman
70	die Metallweste	half-jacket
71	die Fechthose	breeches
72	das Florett	foil
73	der Handschuh	fencing glove
74	die Stulpe	cuff
75	der Degen	épée
76	der Säbel	sabre
77	der Turner	gymnast
78	das Langpferd	vaulting horse
79	die Turnhalle	gymnasium
80	der Gymnastikanzug	leotard
81	der Schwebebalken	beam
82	der Stufenbarren	asymmetric bars
83	der Kasten	vaulting box
84	das Sprungbrett	springboard
85	der Bock	buck
86	das Trampolin	trampoline
87	die Ringe*	rings
88	der Barren	parallel bars
89	das Reck	horizontal bar
90	das Seitpferd	pommel horse
91	der Turnlehrer	instructor
92	die Sprossenwand	wall bars
93	der Kopfstand	headstand
94	die Schwebebank	bench
95	die Landematte	landing mat
96	die Rolle	somersault
97	die Matte	mattress
98	der Handstand	handstand
99	das Klettertau	rope
100	**das Golf**	golf
101	der Golfschläger	golf clubs
102	die Golftasche	golf bag
103	der Abschlagplatz	teeing ground
104	der Golfspieler	golfer

105 der Golfwagen	golf trolley	
106 der Caddie	caddie	
107 der Abschlag	tee	
108 die Spielbahn	fairway	
109 der Golfball	golf ball	
110 das Grün	putting green	
111 die Flagge	flagstick	
112 das Sandhindernis	bunker	
113 das rauhe Gras	rough	
114 das Klubhaus	club house	
115 der Wasser-	waterskier	
skiläufer		
116 die Wasserski★	waterskis	
117 die Sprungschanze	jumping ramp	
118 das Schleppseil	tow rope	
119 das Motorboot	motor boat	
120 das Tennis	tennis	
121 der Schiedsrichter	umpire	
122 der Linienrichter	linesman	
123 der Tennisplatz	tennis court	
124 die Grundlinie	baseline	
125 die Linien des Dop-	tramlines	
pelspielfelds★		
126 die Seitenlinien für	doubles sideline	
Doppel★		
127 die Seitenlinien für	singles sideline	
Einzel★		
128 die Aufschlaglinie	service line	
129 das Tennisnetz	tennis net	
130 der Balljunge	ballboy	
131 der Aufschläger	server	
132 der Tennisschläger	tennis racket	
133 der Griff	grip	
134 der Tennisball	tennis ball	
135 der Rollschuhläufer	rollerskater	
136 der Rollschuh	rollerskate	
137 die Bindung	toe binding	
138 der Stopper	toe stop	
139 der Ellbogenschutz	elbow pad	
140 das geschwungene	kick tail	
Ende		
141 der Knieschützer	knee pad	
142 das Skateboard	skateboard	
143 der Sprungturm	highboard	
144 der Turmspringer	diver	
145 das Schwimm-	swimming pool	
becken		
146 das Sprungbrett	springboard	
147 die Bahnen★	lanes	
148 das Rücken-	backstroke	
schwimmen		
149 der Starter	starter	
150 die Badekappe	bathing cap	

Sports II (pages 10-11)

1 das Skilaufen	skiing	
2 die Sprungschanze	ski jump	
3 der Berg	mountain	
4 die Seilbahn	cable car	
5 der Sessellift	chair lift	
6 der Skiläufer	skier	
7 die Piste	piste	
8 der Skiunterricht	ski class	
9 der Skilehrer	ski instructor	
10 der Rodelschlitten	toboggan	
11 die Slalomstrecke	slalom course	
12 der Ski	ski	
13 der Skistiefel	ski boot	
14 der Skistock	ski pole	
15 der Football	American football	
16 der Schulterschutz	shoulder pad	
17 der Beinschutz	thigh pad	
18 die Torstange	goal post	
19 der Fußball	soccer	
20 die Eckfahne	corner flag	
21 der Stürmer	striker	
22 der Fußball	soccer ball	
23 die Pfeife	whistle	
24 das Kricket	cricket	

25 der Außenspieler	fielder	
26 der Schlagmann	batsman	
27 der Kricketschläger	cricket bat	
28 der Torwächter	wicket keeper	
29 der Beinschutz	cricket pad	
30 der Werfer	bowler	
31 der Kricketball	cricket ball	
32 die Stäbe★	stumps	
33 die Wurflinie	bowling crease	
34 der Handschuh	batting glove	
35 das Rugby	rugby	
36 das Gedränge	scrum	
37 der Einwerfer	scrum half	
38 der Rugbyball	rugby ball	
39 das Lacrosse	lacrosse	
40 der Schläger	crosse	
41 der Baseball	baseball	
42 der Fänger	catcher	
43 die Schlagkeule	baseball bat	
44 der Schlagmann	batter	
45 der Handschuh	mitt	
46 das Schlagmal	home plate	
47 der Außenfeld-	outfielder	
spieler		
48 das Mal	base	
49 das Wurfmal	pitcher's mound	
50 der Werfer	pitcher	
51 das Eishockey	ice hockey	
52 der Schlittschuh	ice skate	
53 der Schlägerhand-	stick glove	
schuh		
54 der Schienbein-	goal pad	
schutz		
55 die Torlinie	goal line	
56 der Torkreis	goal crease	
57 der Puck	puck	
58 das Galopprennen	horse racing	
59 die Rennfarben★	racing colours	
60 das Rennpferd	racehorse	
61 die Peitsche	whip	
62 der Jockey	jockey	
63 die Scheuklappen	blinker	
64 der Zielpfosten	winning post	
65 das Kanufahren	canoeing	
66 der Kajak	kayak	
67 der Bugmann	bowman	
68 das Verdeck	deck	
69 das Springreiten	show jumping	
70 das Rick	post and rails	
71 die Triplebarre	triple bar	
72 der Oxer	oxer	
73 die Reitstiefel★	riding boot	
74 die Reithose	jodhpurs	
75 die Reitkappe	riding hat	
76 das Surfen	surfing	
77 das Schwert	skeg	
78 das Surfbrett	surfboard	
79 die Surfleine	surf leash	
80 das Bobfahren	bobsleigh racing	
81 die Hinterkufe	rear runner	
82 der Bremser	brakeman	
83 der Steuermann	captain	
84 der Zweierbob	two-man	
	bobsleigh	
85 die Leitkufe	front runner	
86 das Curling	curling	
87 der Curlingbesen	curling broom	
88 der Kapitän	skip (captain)	
89 der Zielkreis	target circle	
90 die Eisbahn	rink	
91 der Curlingstein	curling stone	
92 das Bowlingspiel	bowls	
93 die Bowlingmatte	bowling mat	
94 der Rasenplatz	bowling green	
95 die Bowlingkugel	bowl	
96 die Zielkugel	jack	
97 das Tischtennis	table tennis	
98 der Tischtennis-	table tennis bat	
schläger		
99 die Mittellinie	centre line	

100 das Gewehr-	rifle shooting	
schießen		
101 das Zielfernrohr	optical sight	
102 das Gewehr	rifle	
103 der Schütze	marksman	
104 die Patronen★	cartridges	
105 die Schießanlage	rifle range	
106 das Boule	boules	
107 die Boulekugel	boule	
108 der Maßstab	baguette	
109 der Bouleplatz	pitch	
110 das Squash	squash	
111 der Squashplatz	squash court	
112 der Squashball	squash ball	
113 der Squash-	squash racket	
schläger		
114 das Aufschlagfeld	service box	
115 das Bogen-	archery	
schießen		
116 die Bogensehne	bowstring	
117 der Bogen	bow	
118 der Pfeil	shaft	
119 der Armschutz	arm bracer	
120 die Zielscheibe	target	
121 das Schwarze	bull's eye	
122 das Krocket	croquet	
123 die Klammern★	clips	
124 der Krocket-	mallet	
hammer		
125 das Krockettor	hoop	
126 die Krocketkugel	croquet ball	
127 der Zielpfahl	winning peg	
128 das Polo	polo	
129 der Poloschläger	polo stick	
130 das Polopferd	polo pony	
131 die Beinbandage	ankle bandage	
132 das Pelotaspiel	pelota	
133 die Cesta	cesta (basket)	
134 die Jaialai	jai-alai (court)	
135 der Pelotaball	pelote (ball)	
136 der Basketball	basketball	
137 das Brett	backboard	
138 der Korbring	basket rim	
139 das Hockey	hockey	
140 die Gesichtsmaske	faceguard	
141 der Tormann	goal keeper	
142 das Tor	goal	
143 der Hockey-	hockey stick	
schläger		
144 der Federball	badminton	
145 der Federball-	badminton racket	
schläger		
146 der Federball	shuttlecock	
147 das Rudern	rowing	
148 das Ruderboot	rowing boat	
149 der Steuermann	cox	
150 das Ruder	oar	
151 der Ruderer	oarsman	
152 der Bootsschuppen	boat house	

On the farm (pages 12-13)

1 die Geräte★	tools	
2 die Hacke	hoe	
3 die Mistgabel	muck fork	
4 die Heugabel	pitchfork	
5 die Sichel	sickle	
6 der Kartoffelrechen	potato rake	
7 der Heurechen	hay rake	
8 die Sense	scythe	
9 der Spaten	spade	
10 das Sensenblatt	blade	
11 die Feldfrüchte★	crops	
12 der Roggen	rye	
13 der Weizen	wheat	
14 die Gerste	barley	
15 der Hafer	oats	
16 der Senf	mustard	
17 der Grünkohl	kale	
18 die Sonnenblume	sunflower	
19 der Mais	maize	

No.	German	English
20	der Kolben	cob
21	die Zuckerrübe	sugar beet
22	der Raps	rape
23	der Klee	clover
24	die Luzerne	lucerne
25	die Kuh	cow
26	das Euter	udder
27	das Kalb	calf
28	der Schwanz	tail
29	der Bulle	bull
30	der Nasenring	nose ring
31	das Lamm	lamb
32	das Schaf	ewe
33	der Schafbock	ram
34	der Eber	boar
35	der Rüssel	snout
36	die Sau	sow
37	das Ferkel	piglet
38	das Feld	field
39	der Unterstand	shelter
40	die Pferdekoppel	paddock
41	das Tor	gate
42	die Bienen*	bees
43	der Bienenstock	beehive
44	der Traktor	tractor
45	die Hecke	hedge
46	die Mähmaschine	mowing machine
47	das Hühnerhaus	hen house
48	der Behälter für Hühnerfutter	feeder
49	der Hase	hare
50	der Schuppen	shed
51	das Heunetz	hay net
52	der Stall	stable
53	das Bauernhaus	farmhouse
54	der Fensterladen	shutter
55	die junge Katze	kitten
56	die Katze	cat
57	der Schweinestall	pigsty
58	der Trog	trough
59	der Reisigbesen	besom
60	die Gummistiefel*	boots
61	das Regenfaß	water butt
62	der Futtertisch	bird table
63	die Mauer	wall
64	der Schlauch	hose
65	die Hundehütte	kennel
66	die jungen Hunde*	puppies
67	der Schlamm	mud
68	das Kaninchen	rabbit
69	der Kaninchenstall	rabbit hutch
70	die Bäuerin	farmer's wife
71	die Eier*	eggs
72	der Zaun	fence
73	das Riedgras	reeds
74	der Teich	pond
75	der Pfau	peacock
76	die Ziege	nanny goat
77	das Zicklein	kid
78	die Hörner*	horn
79	der Ziegenbock	billy goat
80	die Stute	mare
81	das Fohlen	foal
82	der Esel	donkey
83	die Ente	duck
84	das Entenküken	duckling
85	das Ackerpferd	carthorse
86	der Truthahn	turkey
87	die Gans	goose
88	das Gänseküken	gosling
89	der Hahn	cockerel
90	die Federn*	feathers
91	der Schnabel	beak
92	das Huhn	hen
93	die Vogelscheuche	scarecrow
94	die Furchen*	furrows
95	der Heuschober	haystack
96	der Silo	silo
97	der Schäfer	shepherd
98	der Hütehund	sheep dog
99	das Schaf	sheep
100	die Wetterfahne	weathervane
101	das Desinfektionsbad für Schafe	sheep dip
102	der Obstpflücker	fruit picker
103	der Obstgarten	orchard
104	das Wildgatter	cattle grid
105	die Scheune	barn
106	die Säcke*	sacks
107	die Heckenschneidemaschine	hedge cutter
108	der Bauer	farmer
109	das Getreide	corn
110	die Werkstatt	workshop
111	der Kuhstall	cowshed
112	die Box	stall
113	das Stroh	straw
114	der Heuboden	hayloft
115	die Ratte	rat
116	die Leiter	ladder
117	die Schleiereule	barn owl
118	der Landarbeiter	farm worker
119	der Verwalter	farm manager
120	der Strohballen	hay bale
121	der Milchtankwagen	milk tanker
122	die Milch	milk
123	der Melkstall	dairy
124	das Pferd	horse
125	die Mähne	mane
126	der Sattel	saddle
127	der Reiter	rider
128	die Zügel*	reins
129	der Steigbügel	stirrup
130	der Huf	hoof
131	der Kunstdünger	fertilizer
132	der Arbeitsanzug	overall
133	der Melker	dairyman
134	die Melkmaschine	milking machine
135	der Anhänger	trailer
136	die Walze	roller
137	**die Landmaschinen***	machinery
138	der Feldhäcksler	forage harvester
139	der Mähdrescher	combine harvester
140	die Strohballenpresse	hay baler
141	die Drillmaschine	seed drill
142	der Grubber	cultivator
143	die Egge	harrow
144	der Pflug	plough
145	der Dünger	manure
146	der Miststreuer	muck spreader
147	der Ballenlader	hay elevator
148	der Sammelroder	potato harvester

At the airport (pages 14-15)

No.	German	English
1	**das Instrumentenbrett**	instrument panel
2	der künstliche Horizont	artificial horizon
3	der Fahrtmesser	airspeed indicator
4	der Höhenmesser	altimeter
5	der Radiokompaß	radio compass
6	der Ladedruckmesser	boost gauge
7	der Drehzahlmesser	tachometer
8	die Temperaturanzeige	temperature gauge
9	der Wendeanzeiger	turn indicator
10	der Steuerknüppel	control stick
11	der Gashebel	throttle lever
12	die Seitenruderpedale*	rudder pedals
13	**das Sportflugzeug**	light aircraft
14	der Propeller	propeller blade
15	die Propeller-Nabenhaube	spinner
16	die Kanzelhaube	cockpit cover
17	das Querruder	aileron
18	die Landeklappe	landing flap
19	**der Hubschrauber**	helicopter
20	die Heckkufe	tail skid
21	die Stabilisierungsflosse	stabilizer
22	der Heckrotor	tail rotor
23	der Auspuff	exhaust outlet
24	die Rotornabe	rotor hub
25	das Rotorblatt	rotor blade
26	die Landekufen*	skid landing gear
27	**der Senkrechtstarter**	jump jet
28	das Auslegerrad	outrigger wheel
29	die Heckdüse	tail puffer
30	die Luftbremse	airbrake
31	die Flachstrahldüse	fan air nozzle
32	das Staurohr	pitot head
33	der Fahrwerkschacht	wheel well
34	**der Zeppelin**	airship
35	der Rundbug	nose cone
36	die Gasbehälter*	gas bags
37	der Kranhubschrauber	skycrane
38	**das Überschall-Verkehrsflugzeug**	supersonic airliner
39	die absenkbare Bugnase	droop nose
40	das Turboprop-Flugzeug	turbo-prop
41	der Privatjet	executive jet
42	das Segelflugzeug	glider
43	**das Wasserflugzeug**	flying boat
44	der Wasserflügel	seawing
45	der Schwimmkörper	float
46	**das Transportflugzeug**	freight plane
47	die Bugklappe	hinged nose
48	**der Flughafen**	airport
49	das Parkhaus	car park
50	die Funkantenne	radio aerial
51	das Flutlicht	floodlights
52	die Radarantenne	radar
53	der Kontrollturm	control tower
54	der Fluglotse	ground control officer
55	der Flugplan	flight plan
56	die Besucherterrasse	observation terrace
57	die Fluggastbrücke	passenger bridge
58	der Frachtcontainer	cargo container
59	**das Düsenflugzeug**	jet plane
60	das Höhenruder	elevator
61	der Heckkegel	tailcone
62	das Seitenruder	rudder
63	das Seitenleitwerk	tail fin
64	die Nationalflagge	national flag
65	die Höhenflosse	tailplane
66	das Kennzeichen	registration number
67	der Laderaum	cargo hold
68	der Waschraum	washroom
69	der Servierwagen	food trolley
70	die Schutzwand	bulkhead
71	der Notausgang	emergency exit
72	der verstellbare Sitz	reclining seats
73	die Filmleinwand	cinema screen
74	die Antenne	antenna
75	der Vorfeldwagen	apron supervisor's van
76	die Bremsklappe	spoiler
77	die Flügelspitze	wing tip
78	der Windsack	windsock
79	die Landebahn-Befeuerung	runway lights

80	die Start- und Landebahn	runway
81	das Warnblinklicht	anti-collision light
82	der Passagierraum	passenger cabin
83	die Ansaugöffnung	engine intake
84	der Bordingenieur	flight engineer
85	der Kopilot	co-pilot
86	der Pilot	pilot
87	das Cockpit	flight deck
88	der Polizeiwagen	airport police car
89	der Bodenlotse	marshaller
90	die Ohrenschützer*	earmuffs
91	der Radarkopf	radome
92	die Bugräder*	nosewheels
93	der Landescheinwerfer	landing light
94	die Stewardeß	stewardess
95	der Rumpf	fuselage
96	das Fahrwerk	undercarriage
97	das Düsentriebwerk	jet engine
98	die Triebwerksverkleidung	engine cowling
99	der Wartungsmonteur	maintenance engineer
100	**der Terminal**	**passenger terminal**
101	das Geschäft für zollfreien Einkauf	duty free shop
102	der Ausgang	departure gate
103	die Personenkontrolle	security check
104	die Wartehalle	departure lounge
105	der Paß	passport
106	die Flugkarte	airline ticket
107	die Bordkarte	boarding pass
108	das Handgepäck	hand luggage
109	die Fluganzeigetafel	flight indicator board
110	das Gepäckband	conveyor belt
111	die Gepäckabfertigung	check-in desk
112	die Abfertigungshalle	departure hall
113	die Fluginformation	flight information
114	der Flughafenangestellte	airport official
115	die Zimmervermittlung	hotel reservations
116	der Autoverleih	car hire
117	die Ankunftshalle	arrivals hall
118	die Zollkontrolle	customs control
119	das Gepäck-Rundlaufband	luggage carousel
120	die Gepäckausgabe	luggage reclaim hall
121	der Grenzbeamte	immigration officer
122	die Paßabfertigung	passport control
123	das Laufband	moving walkway
124	**die Wartungs- und Versorgungsfahrzeuge***	**airport vehicles**
125	der Tankwagen	refueller
126	der Frischwasserwagen	freshwater tanker
127	der Frischluftversorgungswagen	air conditioning vehicle
128	der Generatorwagen	mobile generator
129	der Gepäckzug	baggage train
130	die Schneeschleuder	snow blower
131	das Wartungsfahrzeug mit Hebebühne	cherry picker
132	das Verladefahrzeug	scissor-lift transporter
133	der Toilettenwagen	lavatory cleaning vehicle

134	der Bus für die Besatzung	crew bus
135	der Eiswagen	ice removal vehicle
136	der Passagierbus	passenger bus
137	der Abschleppwagen	tow truck
138	das Löschfahrzeug	fire tender

The beach and the sea (pages 16-17)

1	die Höhle	cave
2	das Strandcafé	beach café
3	das Megaphon	megaphone
4	das Fernrohr	telescope
5	der Bademeister	lifeguard
6	die Umkleidekabine	changing room
7	die Eisbude	icecream stall
8	das Tretboot	pedal boat
9	der Krabbenfänger	shrimper
10	der Poller	bollard
11	der Rettungsring	lifebelt
12	die Promenade	promenade
13	der Windschutz	windbreak
14	der Sonnenhut	sun hat
15	der Sonnenschirm	umbrella
16	das Krabbennetz	shrimping net
17	der Seehund	seal
18	der junge Seehund	seal pup
19	die Flutgrenze	tideline
20	der Kormoran	cormorant
21	die Badehose	swimsuit
22	der Flügel	wing
23	die Badetasche	beach bag
24	der Picknickkoffer	picnic hamper
25	das Badetuch	beach towel
26	der Liegestuhl	deckchair
27	der Sand	sand
28	der Wasserball	beachball
29	der Schwimmflügel	armband
30	der Schulp	cuttle(fish) bone
31	der Felsen	rock
32	der Eimer	bucket
33	die Sandburg	sandcastle
34	der Spaten	spade
35	**der Felsentümpel**	**rock pool**
36	die Große Scheidenmuschel	razor shells
37	die Seescheide	sea squirts
38	die Turmschnecke	towel shell
39	die Austern*	oysters
40	die Schere	claw
41	der Krebs	crab
42	die Seeanemone	sea anemone
43	die Röhrenqualle	Portuguese-man-of-war
44	das Seegras	sea lettuce
45	die Seepocke	barnacle
46	die Muscheln*	mussels
47	die Wellhornschnecke	whelk
48	die Herzmuscheln*	cockles
49	die Napfschnecken*	limpets
50	die Entenmuschel	goosebarnacle
51	die Seespinne	spider crab
52	die Garnele	shrimp
53	die Meeresschnecke	sea slug
54	die Strandschnecke	periwinkle
55	die Eikapsel	egg case
56	der Seeigel	sea urchin
57	der Einsiedlerkrebs	hermit crab
58	der Seestern	starfish
59	die Pilgermuschel	scallop
60	der Hummer	lobster
61	die Hummerschere	pincer
62	die Qualle	jellyfish
63	der Delphin	dolphin
64	die Flosse	fin
65	der Seetang	seaweed
66	der Rochen	ray

67	der Aal	eel
68	der Fächerfisch	sailfish
69	die Stacheln*	spines
70	der Schwertfisch	swordfish
71	der Krake	octopus
72	die Atemröhre	siphon
73	der Saugnapf	suckers
74	der Fangarm	tentacle
75	die Sepia	cuttlefish
76	das Taucherboot	diving saucer
77	die Wasserdüse	water jet
78	der Suchscheinwerfer	searchlight
79	der Greifarm	mechanical arm
80	der Tintenfisch	squid
81	der Schwamm	sponge
82	der Strandwärter	coast guard
83	die Dünen*	sand dunes
84	das Nebelhorn	fog signal
85	die Rettungsstation	lifeboat station
86	die Helling	slipway
87	der Leuchtturm	lighthouse
88	die Bucht	bay
89	die Insel	island
90	das Floß	raft
91	der Schnorchel	snorkel
92	die Fischkisten*	fish boxes
93	das Netz	net
94	die Wurfscheibe	frisbee
95	der Wellenbrecher	breakwater
96	der Windsurfer	windsurfer
97	der Schwimmer	swimmer
98	die Boje	buoy
99	das Meer	sea
100	die Schwimmflosse	flipper
101	die Taucherbrille	goggles
102	die Möwe	seagull
103	die Brandung	surf
104	der Sandwurm	lugworm
105	der Anker	anchor
106	der Krebskorb	crab pot
107	der Pfosten	post
108	der Hummerkorb	lobster pot
109	der Landesteg	jetty
110	das Treibholz	driftwood
111	die Welle	wave
112	der Fischer	fisherman
113	das Fischerboot	fishing boat
114	die Seenadel	pipefish
115	das Seepferdchen	seahorse
116	die Wasserschildkröte	turtle
117	der Sägefisch	sawfish
118	die Riesenvenusmuschel	giant clam
119	der Tümmler	porpoise
120	die Seeschlange	sea serpent
121	der Hai	shark
122	der Wal	whale
123	der Taucher	frogman
124	die Unterwasserkamera	underwater camera
125	die Koralle	coral
126	das Tauchfahrzeug	mini submarine
127	der Kommandoturm	conning tower
128	der Navigator	navigator
129	der Ballasttank	ballast tank
130	der Käfig	cage
131	das Kabel	cable
132	das Wrack	shipwreck
133	die Harpune	speargun
134	der Bleigürtel	weight belt
135	die Aqualunge	aqualung
136	der Aquascooter	sea scooter
137	der Taucheranzug	wetsuit
138	der Tiefenmesser	depth gauge
139	die wasserdichte Uhr	waterproof watch
140	der Sauerstoffschlauch	oxygen tube

#	German	English
41	der Tiefseetaucher	deep sea diver
42	der Taucherhelm	diving helmet
43	der Tiefseegraben	trench
44	das Tiefseetauch-boot	bathyscaphe
45	der Druckkörper	pressure hull
46	die akustische Sonde	acoustic probe
47	die Tiefseetafel	sea bed

Food (pages 18-19)

#	German	English
1	das Gemüse	vegetables
2	der Spinat	spinach
3	die Erbsen*	peas
4	die Karotten*	carrots
5	die Kartoffeln*	potatoes
6	der Kürbis	marrow
7	die Steckrübe	turnip
8	die Pastinake	parsnip
9	die Auberginen*	aubergines
10	die Zucchini*	courgettes
11	der Rosenkohl	Brussels sprouts
12	der Porree	leeks
13	der Broccoli	broccoli
14	der Blumenkohl	cauliflower
15	der Staudensellerie	celery
16	die grünen Bohnen	beans
17	der Weißkohl	cabbage
18	der Rotkohl	red cabbage
19	der Kürbis	pumpkin
20	die Zwiebeln*	onions
21	die Pilze*	mushrooms
22	die Artischocken*	artichokes
23	der Spargel	asparagus
24	die rote Beete	beetroot
25	der Mais	sweetcorn
26	der Fenchel	fennel
27	der Kopfsalat	lettuce
28	die Radieschen*	radishes
29	die Chicorée	chicory
30	die Tomaten*	tomatoes
31	die Gurke	cucumber
32	der Rhabarber	rhubarb
33	die rote Paprika-schote	red pepper
34	die grüne Paprika-schote	green pepper
35	die Avocados*	avocados
36	das Obst	fruit
37	die Ananas*	pineapples
38	die Kokosnüsse*	coconuts
39	die Bananen*	bananas
40	die Trauben*	grapes
41	die Limonen*	limes
42	die Zitronen*	lemons
43	die Orangen*	oranges
44	die Pampelmusen*	grapefruit
45	die Mangos*	mangoes
46	die Papayas*	paw paws
47	die Feigen*	figs
48	die Birnen*	pears
49	die Äpfel*	apples
50	die Mandarinen*	tangerines
51	die Lychees*	lychees
52	die Honigmelonen*	melons
53	die Wasser-melonen*	watermelons
54	die Pfirsiche*	peaches
55	die Pflaumen*	plums
56	die Datteln*	dates
57	die Aprikosen*	apricots
58	die Reineclauden*	greengages
59	die Johannis-beeren*	redcurrants
60	die Blaubeeren*	blueberries
61	die Erdbeeren*	strawberries
62	die Himbeeren*	raspberries
63	die Stachelbeeren*	gooseberries
64	die Preiselbeeren*	cranberries
65	die Brombeeren*	blackberries
66	der gemischte Salat	salad
67	der Eintopf	stew
68	die Spaghetti*	spaghetti
69	der Sirup	syrup
70	die Fleischpastete	meat pie
71	der Reis	rice
72	die Knödel*	dumplings
73	die Suppe	soup
74	das Omelett	omelette
75	die Spiegeleier*	fried eggs
76	der Hamburger	hamburger
77	die Pfannkuchen*	pancakes
78	die Pommes frites*	potato chips
79	die Hot dogs*	hot dogs
80	die Pute	turkey
81	die Füllung	stuffing
82	die Butterbrote*	sandwiches
83	die Pizza	pizza
84	die Quiche	quiche
85	der Kaviar	caviar
86	das Eis	ice cream
87	die Pastete	pâté
88	die Schokoladen-soße	choclate sauce
89	das Soufflé	soufflé
90	die Götterspeise	jelly
91	die Schaumkrem	mousse
92	der Schaschlik	shish kebabs
93	die Eclairs*	eclairs
94	der Obstsalat	fruit salad
95	der Käsekuchen	cheesecake
96	die Vanillesoße	custard
97	der Teig	pastry
98	die Baisers*	meringues
99	die Obsttorte	fruit tart
100	der Pudding	trifle
101	die Kräuter*	herbs
102	das Basilikum	basil
103	das Schnittlauch	chives
104	der Knoblauch	garlic
105	die Pfefferminze	mint
106	die Petersilie	parsley
107	der Rosmarin	rosemary
108	der Thymian	thyme
109	das Fleisch	meat
110	der Schinken	ham
111	der Speck	bacon
112	die Koteletts*	chops
113	die Salami	salami
114	das Steak	steak
115	die Würstchen*	sausages
116	der Fisch	fish
117	der Räucherlachs	smoked salmon
118	die Krabben*	prawns
119	die Bücklinge*	kippers
120	die Fisch-frikadellen*	fish cakes
121	die Fischstäbchen*	fish fingers
122	die Sardinen*	sardines
123	der Thunfisch	tuna fish
124	das Fischsteak	fish steak
125	das Fischfilet	fish fillet
126	das Graubrot	brown bread
127	das Weißbrot	white bread
128	die Hörnchen	croissants
129	das Brötchen	bread rolls
130	das Teegebäck	muffins
131	die Krapfen*	doughnuts
132	die Weißbrot-stangen	breadsticks
133	der Zuckerguß	icing
134	der Kuchen	cake
135	die Kekse*	biscuits
136	das französische Brot	French loaf
137	die Rosinen-brötchen*	scones
138	das Fladenbrot	pitta bread
139	die Trocken-bohnen*	dried beans
140	die heiße Schokolade	hot chocolate
141	das Bier	beer
142	der Wein	wine
143	der Kaffee	coffee
144	die Kaffeebohnen*	coffee beans
145	der Tee	tea
146	der Teebeutel	tea bag
147	der Fruchtsaft	fruit juice
148	das Milchmix-getränk	milkshake
149	die Sahne	cream
150	der Zucker	sugar
151	die Marmelade	jam
152	das Mehl	flour
153	der Senf	mustard
154	das Salz	salt
155	der Pfeffer	pepper
156	der Honig	honey
157	die Mayonnaise	mayonnaise
158	der Ketchup	tomato ketchup
159	das Müsli	muesli
160	die Nüsse*	nuts
161	die Erdnußbutter	peanut butter
162	die Süßigkeiten*	sweets
163	die Gewürzgurken*	gherkins
164	die gebackenen Bohnen*	baked beans
165	der Käse	cheese
166	die Butter	butter
167	der Joghurt	yoghurt
168	die Orangen-marmelade	marmalade
169	die Rosinen*	raisins

The castle (pages 20-21)

#	German	English
1	der Fußsoldat	foot soldier
2	die Hellebarde	bill
3	der Helm	kettle hat
4	die Pike	pike
5	die Armbrust	crossbow
6	der Bügel	stirrup
7	der Bolzen	quarrel
8	der Drücker	trigger
9	der Köcher	quiver
10	die Pfeile	arrows
11	der Bogen	longbow
12	die Axt	axe
13	der Morgenstern	flail
14	der Streitkolben	mace
15	der Dolch	dagger
16	der Belagerungs-turm	siege tower
17	der Sturmbock	battering ram
18	die Balliste	ballista
19	die Schleuder	sling
20	die Steinschleuder-maschine	trebuchet
21	die Schutzwehr	mantlet
22	der Bogenschütze	archer
23	die Katapult-schleuder	mangonel
24	der Feuertopf	firepot
25	die siedende Öl	boiling oil
26	die Kanone	cannon
27	das Bodenstück	breech
28	das Zündloch	touch hole
29	der Ladepfropf	rope wad
30	die Kanonen-kugeln*	cannon balls
31	die Patrone	gunpowder cartridge
32	die Mündung	muzzle
33	die Lafette	gun carriage
34	der Docht	taper
35	der Ladestock	rammer
36	der Ritter	knight
37	das wattierte Hemd	quilted vest
38	der Knappe	squire
39	die Beinkleider*	leggings

#	German	English
40	die Kapuze	hood
41	das Kettenhemd	chain mail
42	der Schuppenpanzer	scale armour
43	der Schildpanzer	plate armour
44	die Haube	basinet
45	das Bruststück	breast plate
46	die Schuhe*	sabaton
47	die Schulterkachel	roundel
48	der Waffenrock	tunic
49	der große Helm	great helm
50	das Wappen	coat-of-arms
51	die Scheide	sheath
52	das breite Schwert	broadsword
53	die Beinröhre	shin guard
54	die Lanze	lance
55	der Schild	shield
56	**das Turnier**	jousting tournament
57	der Stechpfosten	quintain
58	der Federbusch	plume
59	das Zelt	pavilion
60	die Edelleute*	nobles
61	der Kranz	coronel
62	der Roßharnisch	horse armour
63	die Barriere	tilt
64	der Turniersattel	pommel saddle
65	die Helmzier	crest
66	die Trompeter*	trumpeters
67	der Herold	herald
68	**die Burg**	castle
69	das Mauertürmchen	turret
70	der Zinnenkranz	battlements
71	das herrschaftliche Schlafgemach	solar
72	der Wachturm	keep
73	das Spitzbogenfenster	lancet window
74	der Freiherr	baron
75	der Schneider	tailor
76	die Freifrau	baroness
77	die Magd	maid
78	der Wandteppich	tapestry
79	der Kaplan	chaplain
80	das Kreuz	cross
81	die Kapelle	chapel
82	der Minnesänger	troubadour
83	die Pritsche	pallet
84	die Galerie	gallery
85	der fahrende Spielmann	minstrel
86	der Zuber	tub
87	die Kerze	candle
88	der Saal	great hall
89	der Kamin	fireplace
90	die Wendeltreppe	spiral staircase
91	das Faß	barrel
92	das Verlies	dungeon
93	der Gefangene	prisoner
94	die Ketten*	ball and chain
95	der Kerkermeister	jailor
96	der Abort	garderobe
97	die Bank	bench
98	das Tischgestell	trestle table
99	der Narr	jester
100	die Böschungsfläche	buttress
101	der Kessel	cauldron
102	die Kochhütte	kitchen shed
103	das Strohdach	thatch
104	das Kräuterbeet	herb bed
105	der Burggarten	walled garden
106	der Obstbaum	fruit tree
107	der Blasebalg	bellows
108	der große Ofen	great oven
109	der Spieß	spit
110	die Wache	guard
111	der Feuerschutz	firescreen
112	das Backhaus	bakehouse
113	das Packpferd	packhorse
114	der Handler	merchant
115	die Holztreppe	wooden stairs
116	der Burghof	inner bailey
117	die Treppenspindel	stairwell
118	die Schießscharte	arrowslit
119	der Rauchabzug	smokehole
120	die Schmiede	smithy
121	der Waffenschmied	armourer
122	der Bauer	peasant
123	der Fischteich	fish pond
124	die Wäscherin	laundress
125	der Schuhmacher	shoemaker
126	der Holzfäller	woodcutter
127	der Dachdecker	thatcher
128	der Burggraben	outer bailey
129	der Hofmeister	steward
130	die Nonne	nun
131	der Mönch	monk
132	der Torbogen	arch
133	die Baumstämme*	logs
134	die Jagdhunde*	hounds
135	der Hundeaufseher	keeper-of-the-hounds
136	der Karren	cart
137	die Hütte	hut
138	der Brunnen	well
139	der Taubenschlag	dovecote
140	die Tauben*	doves
141	der Stallbursche	stable boy
142	die Stange	perch
143	der Falkner	falconer
144	der Falke	falcon
145	der Falkenhof	falcons' mews
146	der Wehrgang	wall walk
147	die Ringmauer	curtain wall
148	die Schildwache	sentry
149	der Zinnenzahn	merlon
150	die Zinnenlücke	crenel
151	die Bretterbude	hoarding
152	das Torhaus	gatehouse
153	das Fallgatter	portcullis
154	die Zugbrücke	drawbridge
155	der Bettler	beggars
156	der Graben	ditch

Music (pages 22-23)

#	German	English
1	die große Trommel	bass drum
2	die Trommelschlegel*	drumsticks
3	die kleine Trommel	snare drum
4	die Posaune	trombone
5	der Posaunenzug	slide
6	die Wasserklappe	water key
7	die Kesselpauke	kettle drum
8	das Trommelfell	drumhead
9	das Pedal	foot pedal
10	das Fagott	bassoon
11	das S-Rohr	crook
12	die Oboe	oboe
13	die Klappen*	keys
14	die Zunge	reed
15	die Querflöte	flute
16	das Blasloch	blow-hole
17	die Geige	violin
18	die Kinnstütze	chin rest
19	der Geigenbogen	violin bow
20	die Klarinette	clarinet
21	die Bratsche	viola
22	der Saitenhalter	tailpiece
23	die Schnecke	scroll
24	die Tuba	tuba
25	das Ventil	valve
26	das Mundstück	mouthpiece
27	das Waldhorn	French horn
28	das Englischhorn	cor anglais
29	die Pikkoloflöte	piccolo
30	das Mundstück	lip plate
31	das Cello	cello
32	**das Orchester**	orchestra
33	das Glockenspiel	tubular bells
34	das Xylophon	xylophone
35	die Orgel	organ
36	die Register*	stops
37	die Orgelpfeifen*	organ pipes
38	das Schlagzeug	percussion
39	die Becken*	cymbals
40	der Flötist	flautist
41	die Holzblasinstrumente*	woodwind
42	die Blechblasinstrumente*	brass section
43	die Streichinstrumente*	string section
44	die Harfenistin	harpist
45	die Harfe	harp
46	die Geiger*	violinists
47	die Bratschisten*	viola players
48	der Notenständer	music stand
49	der Dirigent	conductor
50	das Notenblatt	music sheet
51	das Pult	rostrum
52	die Cellisten*	cellists
53	die Kontrabaßspieler*	double bass players
54	**die Rockgruppe**	rock group
55	die Lautsprecherbox	speaker
56	das Schlagzeug	drumkit
57	das Tamtam	floor tom
58	der Schlagzeuger	drummer
59	die kleine Trommel	tom toms
60	das Becken	crash and ride cymbal
61	das Hi-hat	hihat
62	die Background-Sänger*	backup singers
63	das Mikrophon	microphone
64	der Kontaktschalter	reed switch
65	der Verstärker	amplifier
66	die Baßgitarre	bass guitarist
67	das elektrische Klavier	electric piano
68	der Synthesizer	moog synthesiser
69	die erste Gitarre	lead guitarist
70	die elektrische Orgel	electric organ
71	**die elektrische Gitarre**	electric guitar
72	das Wirbelbrett	headstock
73	der Hals	neck
74	der Bund	frets
75	der Tonabnehmer	pickup
76	das Schlagbrett	scratchplate
77	der Tremolo-Hebel	tremelo arm
78	die Regelknöpfe*	controls
79	die Steckdose	jack plug socket
80	der Kontrabaßbogen	double bass bow
81	der Kontrabaß	double bass
82	die Saiten	strings
83	der Steg	bridge
84	das Griffbrett	fingerboard
85	die Wirbel*	tuning pegs
86	das Glockenspiel	glockenspiel
87	das Hackbrett	dulcimer
88	die Ukulele	ukelele
89	die Mandoline	mandolin
90	der Dudelsack	bagpipes
91	die Melodiepfeife	melody pipe
92	der Windsack	windbag
93	die Blaspfeife	blowpipe
94	der Brummer	drone pipe
95	die Tenorbrummer*	tenor drones
96	der Holzblock	wood block
97	die Rassel	rattle
98	der Gong	gong
99	das Vibraphon	vibraphone
100	das Koto	koto
101	der Triangel	triangle

102	die Tanbur	tambura
103	die Sitar	sitar
104	der Flaschenkürbis	gourd
105	die Zither	zither
106	das Marimbaphon	marimba
107	die Balalaika	balalaika
108	die Laute	lute
109	der Wirbelkasten	pegbox
110	die Glocke	handbell
111	die Schlitten-glocken*	sleigh bells
112	die Blockflöte	recorder
113	die Kastagnetten*	castanets
114	das Akkordeon	accordion
115	die Klaviatur	keyboard
116	die Mund-harmonika	harmonica
117	**die Jazzkapelle**	**jazz band**
118	das Banjo	banjo
119	das Saxophon	saxophone
120	der Jazzsänger	jazz singer
121	die Trompete	trumpet
122	der Trompeter	trumpeter
123	der Klavierspieler	pianist
124	das Klavier	piano
125	das Metronom	metronome
126	das Pendel	pendulum
127	die Folklore-sängerin	folk singer
128	die spanische Gitarre	Spanish guitar
129	das Schalloch	soundhole
130	der Gitarrenkörper	soundboard
131	die Konzertina	concertina
132	**die Blaskapelle**	**brass band**
133	die Tambour-majorin	drum majorette
134	das Bügelhorn	bugle
135	das Kornett	cornet
136	**die Diskothek**	**discothèque**
137	der Diskjockey	disc jockey
138	die Diskotänzer*	disco dancers
139	der Tanzboden	dancefloor
140	der Plattenteller	turntable
141	die Platten*	records
142	**die Steel Band**	**steel band**
143	die Stahltrommel	steel drum
144	die Tenor-Drum	cello pan
145	die Baß-Drum	bass pan
146	die Sopran-Drum	ping pongs
147	die Alt-Drum	guitar pan
148	die Conga	conga drum
149	die Rhythmus-instrumente*	rhythm section
150	die Bongos*	bongo drums
151	das Tamburin	tambourine
152	die Schellen*	jingles
153	die Cabaza	cabasas
154	die Maracas*	maracas
155	die Kuhglocke	cow bell
156	die Klanghölzer*	claves
157	der Guiro	guiro

In the country (pages 24-25)

1	der Fischotter	otter
2	der Igel	hedgehog
3	die Wegschnecke	slug
4	die Spitzmaus	shrew
5	der Hirsch	stag
6	das Geweih	antlers
7	der Käfer	beetle
8	das Rehkitz	fawn
9	das Reh	doe
10	der Kiefernzapfen	pine cone
11	das Eichhörnchen	squirrel
12	der Kobel	drey
13	die Fuchswelpen*	fox cubs
14	der Fuchs	fox
15	der Dachs	badger
16	die Feldmaus	harvest mouse

17	die Wasserratte	water vole
18	die Wolke	cloud
19	der Drachenflieger	hang glider
20	der Heißluftballon	hot air balloon
21	der Gasbrenner	gas burner
22	der Korb	basket
23	der Sandsack	sand bag
24	der Regenbogen	rainbow
25	die Windmühle	windmill
26	der Regen	rain
27	das Tal	valley
28	der Rucksack	rucksack
29	der Karabiner-haken	karabiner
30	der Kletterhaken	piton
31	der Schutzhelm	climbing helmet
32	der Kletterschuh	climbing boot
33	der Bergsteiger	rock climber
34	der Kombihammer	piton hammer
35	der Felsen	cliff
36	das Kletterseil	climbing rope
37	der Klettergürtel	climbing harness
38	das Dorf	village
39	der Friedhof	cemetery
40	der Drachen	kite
41	der Kirchturm	spire
42	der Tunnel	tunnel
43	der Kanal	canal
44	der Schleppkahn	barge
45	die Kirche	church
46	der Telegraphen-mast	telegraph pole
47	der Schuppen	garden shed
48	das Gewächshaus	greenhouse
49	die Kletterpflanze	creeper
50	das Haus	house
51	die Schaukel	swing
52	der Garten	garden
53	die Pflanze	plant
54	das Blumenbeet	flower bed
55	der Rasen	lawn
56	der Sandkasten	sand pit
57	das Planschbecken	paddling pool
58	die Rutsche	slide
59	das Klettergerüst	climbing frame
60	der Schmetterling	butterfly
61	der Maulwurfs-hügel	mole hill
62	der Maulwurf	mole
63	der Wasserfall	waterfall
64	der Wanderer	hiker
65	die Libelle	dragonfly
66	der Wegweiser	signpost
67	der Weg	path
68	der Angelkoffer	tackle box
69	die Angelrute	fishing rod
70	das Netz	fishing net
71	das Gras	grass
72	die Schwalbe	swallow
73	die Schildkröte	tortoise
74	die Taube	pigeon
75	der Marienkäfer	ladybird
76	der Fasan	pheasant
77	die Heuschrecke	grasshopper
78	der Frosch	frog
79	die Seerose	water lily
80	das Seerosenblatt	lily pad
81	die Ameise	ant
82	die Kröte	toad
83	die Hummel	bumblebee
84	die Blume	flower
85	der Schwan	swan
86	die Raupe	caterpillar
87	die Wespe	wasp
88	die Spinne	spider
89	das Spinnennetz	web
90	die Schnecke	snail
91	der Himmel	sky
92	der Habicht	hawk
93	der Hügel	hill

94	der Ast	branch
95	der Vogel	bird
96	der Nestling	nestlings
97	das Nest	nest
98	der Steinbruch	quarry
99	die Hochspan-nungsleitung	power line
100	der Stahlmast	pylon
101	die Blockhütte	log cabin
102	die Schleuse	lock
103	der See	lake
104	das Elektrizitäts-werk	power station
105	die Hecke	hedgerow
106	die Reiter*	pony trekker
107	der Baum	tree
108	der Wald	forest
109	der Waldarbeiter	forester
110	die Hängematte	hammock
111	die Anhänger-kupplung	tow bar
112	die Brücke	bridge
113	das Ufer	river bank
114	der Busch	bush
115	der Campingplatz	camp site
116	der Grill	barbeque
117	das Brennholz	firewood
118	die Holzkohle	charcoal
119	der Campingtisch	picnic table
120	die Campingliege	camp bed
121	die Rinde	bark
122	der Angler	angler
123	der Fluß	river
124	der Kompaß	compass
125	der Vogel-beobachter	birdwatcher
126	das Fernglas	binoculars
127	die Landkarte	map
128	der Camping-kocher	camping stove
129	das Spannseil	guy rope
130	der Wasser-behälter	water carrier
131	das Vordach	fly sheet
132	die Taschenlampe	torch
133	die Zeltstange	tent pole
134	die Kühltasche	ice box
135	die Luftmatratze	air mattress
136	der Schlafsack	sleeping bag
137	die Zeltlampe	gas lamp
138	das Zelt	tent
139	der Hering	tent peg
140	der Nachtfalter	moth
141	die Wurzel	roots
142	das Moos	moss
143	der Baumstumpf	tree stump
144	die Fliegenpilze*	toadstools

On the road (pages 26-27)

1	das Tandem	tandem
2	das Dreirad	tricycle
3	das Crossrad	scrambler bike
4	das Rennrad	racing bike
5	der Motorroller	motor scooter
6	das Moped	moped
7	das Go-Kart	go-kart
8	**das Fahrrad**	**bicycle**
9	der Griff	hand grip
10	der Schalthebel	gear change lever
11	die Lenkstange	handlebar
12	das Schaltungs-kabel	gear cable
13	die Glocke	bell
14	der Gepäckträger	carrier
15	die Werkzeug-tasche	saddle bag
16	der Sattel	saddle
17	die Sattelstütze	seat stem
18	der Bremshebel	brake lever
19	das Bremskabel	brake cable

20	die Hupe	horn	93	**die Werkstatt**	garage	7	die Hochstraße	flyover
21	die Fahrradlampe	bicycle lamp	94	die Zapfsäule	petrol pump	8	die Feuerleiter	fire ladder
22	das Schloß	bicycle lock	95	die Waschanlage	car wash	9	das Hotel	hotel
23	der Rückstrahler	rear reflector	96	der Prüfstand	inspection bay	10	der Übergang	walkway
24	das Rücklicht	rear lamp	97	der Dachgepäckträger	roof rack	11	der Hotelpage	bellboy
25	der Dynamo	dynamo	98	der Mechaniker	mechanic	12	der Portier	doorman
26	der Zahnkranz	sprocket	99	die Hebebühne	hydraulic lift	13	der Koffer	suitcase
27	der Kettenschutz	chain guard	100	das Luftdruckmeßgerät	air pump	14	der Empfang	reception
28	die Luftpumpe	bicycle pump				15	die Empfangshalle	lobby
29	der Flaschenhalter	water bottle carrier	101	**das Auto**	car	16	der Lieferwagen	delivery van
30	die Felgenbremse	brake calliper	102	der vordere Kotflügel	front wing	17	das Bürogebäude	office building
31	das Schutzblech	mudguard	103	die Parkleuchte	side light	18	die Telefonzentrale	switchboard
32	der Bremsbelag	brake block	104	die vordere Stoßstange	front bumper	19	die Stenotypistin	typist
33	das Vorderrad	front wheel	105	der Scheinwerfer	headlamp	20	das Büro	office
34	die Satteltaschen*	panniers	106	der Kühler	car radiator	21	die Fassadenmalerei	mural
35	das Hinterrad	rear wheel	107	der Keilriemen	fan belt	22	das Dachfenster	skylight
36	die Fahrradkette	bicycle chain	108	der Ventilator	cooling fan	23	das Postamt	post office
37	das Pedal	pedal	109	der Zylinderkopf	cylinder head	24	die Sortierstelle	sorting office
38	die Tretkurbel	pedal crank	110	der Luftfilter	air filter	25	der Briefkasten	letterbox
39	der Ständer	kickstand	111	die Batterie	car battery	26	der Postbote	postman
40	das Kettenrad	chain wheel	112	der Außenspiegel	wing mirror	27	die Pakete*	parcels
41	der Rahmen	frame	113	die Federung	front suspension	28	das Postauto	mail van
42	die Vorderradgabel	front fork	114	das Fahrgestell	chassis	29	die Imbißstube	café
43	die Felge	wheel rim	115	der Kolben	piston	30	die Kellnerin	waitress
44	das Ventil	valve	116	der Verteiler	distributor	31	die Markise	awning
45	die Speichen*	spokes	117	der Ölfilter	oil filter	32	das Denkmal	statue
46	der Speichenreflektor	spoke reflector	118	die Ölwanne	sump	33	die Menschenmenge	crowd
47	der Schlauch	inner tube	119	das Tachometer	speedometer	34	die Absperrung	barrier
48	das Flickzeug	puncture repair kit	120	die Benzinuhr	petrol gauge	35	die Bank	bank
49	die Trinkflasche	water bottle	121	die Windschutzscheibe	windscreen	36	der Kassierer	bank teller
50	der Schraubenschlüssel	spanners	122	das Lenkrad	steering wheel	37	der Wachmann	security guard
51	das Montiereisen	tyre levers	123	das Armaturenbrett	dashboard	38	der Geldtransporter	security van
52	**das Motorrad**	motorbike	124	der Sicherheitsgurt	seat belt	39	der Dachgarten	roof terrace
53	der Gasgriff	twist throttle	125	die Kopfstütze	headrest	40	der Tresorraum	bank vault
54	der Schalthebel	clutch lever	126	das Gaspedal	accelerator	41	der Supermarkt	supermarket
55	der Rückspiegel	rearview mirror	127	die Fußbremse	foot brake	42	der Lagerraum	storeroom
56	der Beifahrersitz	pillion seat	128	die Kupplung	clutch	43	die Leuchtreklame	neon sign
57	der Benzintank	petrol tank	129	das Getriebe	gear box	44	der Einkaufswagen	trolley
58	die Zündkerze	sparking plug	130	der Schaltknüppel	gear stick	45	die Schlange	queue
59	der Vergaser	carburettor	131	die Handbremse	hand brake	46	das Kino	cinema
60	der Kickstarter	kick start lever	132	der Rücksitz	back seat	47	das Aushängeschild	shop sign
61	die Trommelbremse	rear drum brake	133	der Auspufftopf	silencer	48	das Fischgeschäft	fish shop
62	die Scheibenbremse	front disc brake	134	das Kardangelenk	universal joint	49	der Fischhändler	fishmonger
63	die Teleskopgabel	hydraulic fork	135	die Antriebswelle	drive shaft	50	der Verkäufer	shop assistant
64	das Bremspedal	rear brake pedal	136	der Kofferraum	boot	51	die Drogerie	chemist
65	die Fußstütze	foot rest	137	das Bremslicht	brake light	52	die Kasse	cash register
66	der Auspufftopf	muffler	138	das Reserverad	spare wheel	53	die Zeitung	newspaper
67	die Handschuhe*	gauntlets	139	der Rückfahrscheinwerfer	reversing light	54	der Zeitungsstand	newspaper stand
68	das Visier	visor	140	die Fußpumpe	foot pump	55	die Säule	pillar
69	der Schutzhelm	crash helmet	141	das Nummernschild	number plate	56	das Straßenschild	street sign
70	der Sportwagen	sports car	142	das Auspuffrohr	exhaust pipe	57	die Trockenhauben*	hairdryers
71	der Rennwagen	racing car	143	die hintere Stoßstange	rear bumper	58	der Frisiersalon	hairdressing salon
72	der Dragster	dragster	144	das Rücklicht	rear light	59	der Friseur	hairdresser
73	der Beiwagen	sidecar	145	das Blinklicht	indicator light	60	das Verkehrszeichen	road sign
74	der Buggy	beachbuggy	146	der Tankdeckel	petrol cap	61	der Polizist	policeman
75	der Oldtimer	vintage car	147	die Radnabe	wheel hub	62	der Radfahrer	cyclist
76	der Landrover	landrover	148	der Bremskeil	wedge	63	die Telefonzelle	telephone kiosk
77	der Lieferwagen	van	149	die Ölkanne	oil can	64	das Telefonkabel	telephone cable
78	der Abschleppwagen	breakdown lorry	150	der Werkzeugkasten	tool can	65	die Stufen*	steps
79	der Tankwagen	petrol tanker	151	der Kreuzschlüssel	spider spanner	66	die Frau	woman
80	der Möbelwagen	removal van	152	der Wagenheber	jack	67	die Gasleitung	gas pipe
81	der Wohnwagen	caravan	153	der Reifen	tyre	68	die Fahne	flag
82	der Autotransporter	car transporter				69	der Fahnenmast	flagpole
83	der Reisebus	coach		**In the city** (pages 28-29)		70	der Taxistand	taxi rank
84	der Linienbus	bus				71	der Fensterputzer	window cleaner
85	der Doppeldeckerbus	double-decker bus	1	das Hochhaus	skyscraper	72	das Kaufhaus	department store
86	der Obus	trolley bus	2	die Wohnungen*	flats	73	die Straßenlampe	street lamp
87	der Kombiwagen	estate car	3	der Balkon	balcony	74	das Krankenhaus	hospital
88	der Krankenwagen	ambulance	4	die Feuerwache	fire station	75	die Schule	school
89	die Feuerwehr	fire engine	5	die Sirene	siren	76	der Lehrer	school teacher
90	das Müllauto	dustcart	6	die Tankstelle	service station	77	der Schüler	school children
91	der Lastwagen	juggernaut				78	das Taxi	taxi
92	der Kipplaster	truck				79	der Straßenkehrer	road sweeper
						80	der Müllwagen	rubbish cart
						81	der Abfall	litter

82	die Drehtür	revolving door
83	der Dekorateur	window dresser
84	die Schaufenster- puppe	dummy
85	der Träger	porter
86	der Patient	patient
87	die Auffahrt	ramp
88	der Buggy	pushchair
89	die Politesse	taxi warden
90	die Parkuhr	parking meter
91	die Parkbank	park bench
92	die Kinderfrau	nanny
93	der Kinderwagen	pram
94	der Springbrunnen	fountain
95	der Park	park
96	der Torpfosten	gatepost
97	das Gitter	railings
98	der Motorradfahrer	motor cyclist
99	der Beifahrer	pillion rider
00	die Haltestelle	bus stop
01	der Busfahrer	bus driver
02	die Fahrgäste*	passengers
03	der Rauch	smoke
04	der Feuerwehr- mann	fireman
05	das Blaulicht	warning light
06	das Feuer	fire
07	der Wasser- schlauch	fire hose
08	das Sprungtuch	jumping sheet
09	die Reklame	advertisement
10	der Bücherstand	bookstall
11	der Buchhändler	bookseller
12	die Tragetasche	carrier bag
13	der Schuhstand	shoe stall
14	die Schuhe*	shoes
15	der Andenkenstand	sovenir stall
16	die T-shirts *	tee shirts
17	der Poster	poster
18	die Buttons*	badges
19	der Obststand	fruit stall
20	die Trage	stretcher
21	der Unfall	accident
22	der Hydrant	fire hydrant
23	der Bürgersteig	pavement
24	die Bordsteinkante	kerbstone
25	der Stadtstreicher	tramp
26	die Gemälde*	paintings
27	die Ampel	traffic light
28	der Gemüsestand	vegetable stall
29	der Spielzeugstand	toy stall
30	der Bekleidungs- stand	clothes stall
31	der Pullover	jersey
32	die Hosen*	trousers
33	die Kleider*	dresses
34	die Hüte*	hats
35	der Kleiderständer	clothes rack
36	die Socken*	socks
37	die Mäntel*	coats
38	der Blumen- verkäufer	flower seller
39	der Stadtplan	street map
40	der Umformer	transformer
41	der Kanaldeckel	manhole cover
42	der Abfallkorb	litter bin
43	der Zebrastreifen	crossing
44	der Fußgänger	pedestrian
45	der Einstiegschacht	manhole
46	die Stromleitung	electricity cable
47	der Mann	man
48	die Unterführung	underpass
49	das Wasserrohr	water pipe
50	das Abwasser	sewage
51	die Kanalisation	sewer
52	der Schieber- schacht	valve box
53	der Absperr- schlüssel	gate key
54	der Gully	grating

Toys and games (pages 30-31)

1	die Puppe	doll
2	die Stoffpuppe	rag doll
3	die Prinzessin	princess
4	der Prinz	prince
5	der König	king
6	die Krone	crown
7	die Königin	queen
8	die Fee	fairy
9	der Zauberstab	wand
10	die Ballerina	ballerina
11	der Besen	broomstick
12	die Hexe	witch
13	die Braut	bride
14	der Bräutigam	bridegroom
15	das Blumen- mädchen	bridesmaid
16	der Blumenjunge	page
17	der Matrose	sailor
18	das Mobile	mobile
19	der Papagei	parrot
20	die Tafel	blackboard
21	das Etui	pencil case
22	der Füller	fountain pen
23	der Kugelschreiber	ballpoint pen
24	die Bleistifte*	pencils
25	die Wachs- malstifte*	wax crayons
26	der Radiergummi	rubber
27	das Lineal	ruler
28	die Wasserfarben*	paints
29	die Filzstifte*	felt tip pens
30	die Ziffern*	numbers
31	die Buchstaben*	letters
32	der Notizblock	notebook
33	der Abakus	abacus
34	die Perlen*	beads
35	die Bausteine*	building blocks
36	der Magnet	magnet
37	der Globus	globe
38	der Chemiekasten	chemistry set
39	das Reagenzglas	test tube
40	der Spiritusbrenner	spirit burner
41	der Becher	beaker
42	der Trichter	funnel
43	der Glaskolben	flask
44	die Lupe	magnifying glass
45	das Mikroskop	microscope
46	das Kaleidoskop	kaleidoscope
47	die Luftballons*	balloons
48	die Papierhüte*	paper hats
49	die Feuerwerks- körper*	fireworks
50	die Laterne	lantern
51	der Totempfahl	totem pole
52	das Indianerzelt	wigwam
53	der Kopfschmuck	head-dress
54	der Indianer- häuptling	Indian chief
55	die Indianerfrau	squaw
56	das Indianerbaby	papoose
57	das Fort	fort
58	der Reiter	cavalry man
59	der Indianerkrieger	Indian brave
60	der Tomahawk	tomahawk
61	der Schachtelteufel	jack-in-the-box
62	die Musikbox	music box
63	die Spardose	money box
64	das Riesenrad	ferris wheel
65	das Karussell	roundabout
66	das Schaukelpferd	rocking horse
67	das Marionetten- theater	puppet theatre
68	die Marionette	string puppet
69	die Kasperlepuppe	glove puppet
70	das Puppenhaus	dolls' house
71	die Puppenwiege	cradle
72	der Eisbär	polar bear
73	der Panda	panda

74	das Nashorn	rhino
75	das Kamel	camel
76	die Pinguine*	penguins
77	das Kanguruh	kangaroo
78	das Zebra	zebra
79	der Leopard	leopard
80	der Affe	monkey
81	das Krokodil	crocodile
82	das Gespenst	ghost
83	der Engel	angel
84	der Zauberer	wizard
85	die Pistole	pistol
86	der Seeräuber	pirate
87	der Schatz	treasure
88	die Seeschlange	monster
89	der Drachen	dragon
90	der Kobold	elf
91	der Zwerg	gnome
92	der Schlitten	sleigh
93	der Weihnachts- mann	Father Christmas
94	der Teddybär	teddy bear
95	das Rentier	reindeer
96	der Weihnachts- strumpf	Christmas stocking
97	die Geldbörse	purse
98	das Geld	money
99	die Stickerei	embroidery
100	die Wolle	wool
101	die Stricknadel	knitting needle
102	der Panzer	tank
103	die Infanteristen*	infantry men
104	der Kranwagen	crane
105	die Planierraupe	excavator
106	das Rennauto	remote control car
107	die Modell- Rennbahn	race track
108	das Raumschiff	spaceship
109	das Steckenpferd	hobby horse
110	der Springstock	pogo stick
111	die Stelzen*	stilts
112	der Hula-Hoop- Reifen	hula hoop
113	der Roller	scooter
114	das Springseil	skipping rope
115	der Kreisel	spinning top
116	die Kegel	skittles
117	die Murmeln*	marbles
118	das Brettspiel	board game
119	die Spielkarten*	playing cards
120	die Würfel*	dice
121	die Spielmarken*	counters
122	das Schachbrett	chess-board
123	die Schachfiguren*	chessmen
124	das Puzzle	jigsaw puzzle
125	die Dominosteine*	dominoes
126	das Holzpuzzle	puzzle
127	der Billardtisch	snooker table
128	die Billardkugel	snooker ball
129	das Queue	cue
130	der Roboter	robot
131	die Rassel	rattle
132	der Picknickkoffer	lunch box
133	das Taschen- messer	penknife
134	der Schlüssei- anhänger	key ring
135	die Schlüssel*	keys
136	die Taschenlampe	torch
137	die Schreib- maschine	typewriter
138	das Radio	radio
139	der Plattenspieler	record player
140	das Funksprech- gerät	walkie talkie
141	der Kassetten- recorder	cassette recorder
142	die Kassetten*	cassettes
143	die Elektronik- spiele*	electronic games

144 die Kassette	cartridge	
145 das Telespiel	television game	
146 der Steuerknüppel	handsets	
147 der Computer	computer	
148 der Taschen-rechner	calculator	
149 der Tiger	tiger	
150 der Löwe	lion	
151 der Elefant	elephant	
152 das Flußpferd	hippopotamus	
153 der Koalabär	koala bear	
154 die Giraffe	giraffe	
155 der Strauß	ostrich	
156 der Büffel	buffalo	
157 der Wolf	wolf	
158 die Schlange	snake	
159 der Dinosaurier	dinosaur	

Jobs people do (pages 32-33)

1 **der Weber**	weaver
2 das Farbbad	dye bath
3 der Webstuhl	loom
4 das Gewebe	woven cloth
5 der Kettbaum	cloth roller
6 das Sperrwerk	ratchet
7 die Trittbretter*	treadles
8 das Garn	yarn
9 das Schiffchen	boat shuttle
10 der Kamm	rug beater
11 die Garnwickel-maschine	bobbin winder
12 **der Töpfer**	potter
13 der Brennofen	kiln
14 der Ton	clay
15 die Modellierhöl-zer*	modelling tools
16 der Greifzirkel	callipers
17 das Töpfermesser	potter's knife
18 die Modellier-schlinge	turning tool
19 der Schneidedraht	cutting wire
20 die Töpferscheibe	potter's wheel
21 das Spritzbecken	splashpan
22 die Glasur	glaze
23 **der Schmied**	blacksmith
24 der Streckhammer	fuller
25 der Setzhammer	flatter
26 der Stempel	stamp
27 das Schnörkeleisen	scroll iron
28 die Schnörkel-klammer	scroll dog
29 der Schraubstock	vice
30 die Feuerhaken*	fire irons
31 der Rauchfang	firehood
32 das Eisen	iron
33 der Löschtrog	water trough
34 die Zangen*	tongs
35 die Lochplatte	swage block
36 der Beschlagkasten	horseshoeing box
37 der Stößel	mandrel
38 der Vorschlag-hammer	sledge hammer
39 der Amboß	anvil
40 **der Kunstmaler**	artist
41 die Leinwand	canvas
42 das Modell	model
43 der Keilrahmen	canvas stretcher
44 der Malkasten	paintbox
45 die Ölfarben*	oil paints
46 der Kittel	smock
47 der Lappen	rag
48 die Staffelei	easel
49 der Zeichenblock	sketch pad
50 das Podest	dais
51 der Drahthefter	stapler
52 die Palette	palette
53 der Palettstecker	dipper
54 das Palettmesser	palette knife
55 der Pinsel	brushes
56 der Malspachtel	painting knife

57 die Kohlestifte*	charcoal sticks
58 das Terpentin	turpentine
59 **der Gärtner**	gardener
60 der Kompost-haufen	compost heap
61 das Spalier	trellis
62 die Glasglocke	cloche
63 die Blümentöpfe*	flowerpots
64 das Frühbeet	cold frame
65 die Schnur	twine
66 das Pflanzholz	dibber
67 die Arbeitshand-schuhe*	gardening gloves
68 die Gartengeräte*	garden tools
69 der Schubkarren	wheelbarrow
70 die Heckenschere	shears
71 der Rasenmäher	lawn mower
72 der Spankorb	trug
73 die Setzlinge*	seedlings
74 die Saatkiste	seed tray
75 die Gießkanne	watering can
76 die Tülle	rose
77 die Blumen-zwiebeln*	bulbs
78 die Gartenschere	secateurs
79 **die Schneiderin**	dressmaker
80 die Nähmaschine	sewing machine
81 die Garnrolle	cotton reel
82 die Oberfaden-spannung	tension dial
83 der Nahfuß	presser foot
84 die Spule	bobbin
85 das Maßband	tape measure
86 die Schere	scissors
87 die Nähnadeln*	needles
88 der Stoff	material
89 der Nähkasten	sewing box
90 das Schnittmuster	dress pattern
91 die Knöpfe*	buttons
92 die Stecknadeln*	pins
93 das Nadelkissen	pin cushion
94 das Nähgarn	thread
95 **der Rahmen-macher**	picture framer
96 die Hartfaserplatte	hardboard
97 die Glasscheiben*	picture glass
98 die Aufziehpappe	mounting board
99 das Metallineal	metal ruler
100 die Zwinge	G-cramp
101 der Handbohrer	hand drill
102 die Gehrungs-zwinge	mitre cramp
103 der Tischler-hammer	claw hammer
104 das Universal-messer	craft knife
105 der Fuchsschwanz	tenon saw
106 die Gehrungslade	mitre block
107 die Formleiste	moulding
108 **der Fotograf**	photographer
109 der Fotoapparat	camera
110 der Schalthebel	wind-on lever
111 der Auslöseknopf	shutter button
112 die Blenden-einstellung	shutter speed control
113 das Blitzlicht	flash shoe
114 die Rückspulkurbel	rewind lever
115 der Blendenring	aperture control
116 die Entfernungs-einstellung	focus control
117 die Linse	lens
118 der Reflexschirm	light screen
119 die Windmaschine	wind machine
120 der Film	film cassette
121 das Stativ	tripod
122 der Hintergrund	background paper
123 die Dunkelkammer	darkroom
124 die Dunkel-kammerleuchte	safelight
125 die Reflektorleuchte	umbrella light

126 der Röhrenblitz	strobe light
127 das Netzgerät	power unit
128 das Teleobjektiv	telephoto lens
129 der Diaprojektor	slide projector
130 das Blitzlicht	flash gun
131 die Fototasche	camera case
132 die Abzüge*	prints
133 **die Köchin**	cook
134 das Sieb	sieve
135 der Quirl	whisk
136 die Teigrolle	rolling pin
137 die Schürze	apron
138 der Spritzbeutel	piping bag
139 der Teigschaber	spatula
140 der Backpinsel	pastry brush
141 die Kuchenform	cake tin
142 das Holzbrett	chopping board
143 das Fleischmesser	cook's knife
144 die Zitronenpresse	lemon squeezer
145 die Waage	scales
146 der Meßbecher	measuring jug
147 die Küchen-maschine	food processor
148 die Holzlöffel*	wooden spoons
149 die Rührschüssel	mixing bowl
150 die Reibe	grater
151 **der Silberschmied**	silversmith
152 das Silber	silver
153 das Werkbrett	bench block
154 der Polierstahl	burnisher
155 der Gasbrenner	propane torch
156 die Edelsteine*	stones
157 die Armreifen*	bracelets
158 die Poliermaschine	polishing machine
159 die Juwelierssäge	jeweller's saw
160 die Pinzette	tweezers
161 die Flachzange	pliers
162 die Brosche	brooch
163 der Ring	ring
164 die Kette	necklace

On the rails (pages 34-35)

1 der Rangierbahnhof	marshalling yard
2 der Güterzug	freight train
3 der Güterwagen	freight wagon
4 das Lesegerät für Wagenmar-kierungen	scanner
5 der Container	container
6 der Greifer	grab
7 der Portalkran	gantry crane
8 der gedeckte Güterwagen	boxcar
9 der Beleuchtungs-mast	lighting tower
10 der offene Güterwagen	open goods wagon
11 das Stellwerk	signal box
12 der Weichensteller	signalman
13 der Tankwagen	tank wagon
14 das Lagerhaus	warehouse
15 der Rungenwagen	flat wagon
16 der Lademeister	loading foreman
17 die Stückgutwaage	weighing machine
18 die Lattenkisten*	cranes
19 das Rangiersignal	shunting signal
20 die Signale*	signals
21 die Rangierlok	shunting engine
22 **der Bahnhof**	station
23 die Bahnhofsuhr	station clock
24 der Lautsprecher	loudspeaker
25 die Gepäckauf-bewahrung	left luggage office
26 der Fahrkarten-schalter	ticket office
27 der Auskunfts-schalter	information office
28 der Zeitungsstand	newsagent
29 die Zeitschriften*	magazines

In the studio (pages 36-37)

81	**das Studio**	studio
82	das Deckeno-berlicht	overhead light
83	die Spot-Leuchte	spotlight
84	das Kopftuch	scarf
85	die Putzfrau	cleaner
86	der Mop	mop
87	der Vorhang	curtain
88	der Morgenmantel	dressing gown
89	die Arzneiflasche	medicine bottle
90	die Kranken-schwester	nurse
91	die Spritze	syringe
92	das Fieber-thermometer	thermometer
93	der Arzt	doctor
94	der Kalender	calendar
95	der Tropf	drip
96	der Gipsverband	plaster cast
97	das Geschenk	present
98	der Besucher	visitor
99	das Gewicht	weight
100	der Studioarbeiter	scenery shifter
101	der Regieassistent	assistant
102	die Bandage	bandage
103	das Pflaster	sticking plaster
104	die Tabletten*	pills
105	der Galgen-assistent	boom operator
106	der Galgen	boom
107	das Mikrophon	microphone
108	die Temperatur-kurve	temperature chart
109	die Studiokamera	studio camera
110	der Tontechniker	sound technician
111	der Kameramann	camera man
112	der Aufnahmeleiter	floor manager
113	der Videorecorder	video tape recorder
114	der Studiomonitor	studio monitor
115	der Kamerakran	crane camera
116	die Gummilinse	zoom lens
117	die Kamerakarte	cue card
118	der Sucher	viewfinder
119	die Entfernungs-einstellung	focusing handle
120	das Fußgestell	pedestal
121	das Kamerakabel	camera cable
122	**die Tonregie**	sound control room
123	der Tontechniker	sound supervisor
124	der Toningenieur	sound engineer
125	**der Regieraum**	production control room
126	der Bildmischer	vision mixer
127	der Regisseur	director
128	der Monitor	monitor screen
129	die Stoppuhr	stop watch
130	die Regie-assistentin	production assistant
131	der technische Direktor	technical manager
132	**die Bildregie**	vision control room
133	der Bildingenieur	vision controller
134	der Beleuchtungs-techniker	lighting director
135	die Filmkamera	film camera
136	die Klappe	clapperboard
137	der Stetson	stetson
138	der Sheriff	sheriff
139	die Pistolentasche	holster
140	die Sporen*	spurs
141	die Cowboyhose	chaps
142	die Kugeln*	bullets
143	die Handschellen*	handcuffs
144	die Pistole	gun
145	das Lasso	lasso
146	die Filmbauten*	film set
147	der Tonmeister	sound recordist
148	der Cowboy	cowboy

149	der Bandit	bandit
150	die Kutsche	stagecoach
151	der Stuntman	stuntman
152	der Geldsack	money bag
153	der Luftsack	airbag

On the water (pages 38-39)

1	**der Passagier-dampfer**	ocean liner
2	das Schwimmbad	lido
3	das Gymnastikdeck	sports deck
4	der Blumenladen	florist shop
5	die Einkaufs-passage	shopping arcade
6	das Sonnendeck	sun deck
7	der Schornstein	exhaust stack
8	das Windleitblech	smoke deflector
9	der Nachtklub	nightclub
10	der Ausguckturm	lookout tower
11	die Kommando-brücke und der Kartenraum	navigation bridge and chartroom
12	der Mannschafts-raum	crew's quarters
13	der Autolift	car lift
14	die Kabinen*	cabins
15	die Einbettkabine	single berth cabin
16	die Luxuskabinen*	staterooms
17	die Cocktailbar	cocktail lounge
18	die Bücherei	library
19	das Theater und der Vortragsaal	theatre and lecture hall
20	das Casino	casino
21	der Kosmetiksalon	beauty salon
22	die Wäscherei	laundry room
23	der Ballsaal	ballroom
24	der Weinkeller	wine cellar
25	das Restaurant	restaurant
26	das Kinderspiel-zimmer	children's playroom
27	die Bullaugen*	portholes
28	die Bugstrahlruder*	bow thrusters
29	die Schleppklüse	hawsehole
30	**das Luftkissen-fahrzeug**	hovercraft
31	das Kontrolldeck	control deck
32	die Autorampe	ar ramp
33	die verformbare Schürze	flexible skirt
34	der Passagier-aufgang	passenger steps
35	das Tragflügelboot	hydrofoil
36	das Motorboot	motor boat
37	das Deckhaus	deckhouse
38	der Außenbord-motor	outboard motor
39	der Lenkhebel	steering arm
40	das Rennboot	powerboat
41	das Feuerlöschboot	fireboat
42	die Schlauchrollen*	hosereels
43	die Speigatten*	scuppers
44	das Polizeiboot	police launch
45	das Feuerschiff	lightship
46	die Laterne	lantern mast
47	**der Bugsier-schlepper**	tug
48	der Bugfender	bow fender
49	das Kartenhaus	pilot house
50	der Suchschein-werfer	searchlight
51	die Schlepplichter*	towing lights
52	der Schlepphaken	tow hook
53	die Winde	capstan
54	der Fischtrawler	trawler
55	der Schleppgalgen	trawl gallows
56	das Schleppnetz	trawl net
57	der Eimerbagger	bucket dredger
58	die Eimerkette	bucket chain
59	die Schütte	chute
60	die Schaluppe	sloop

61	der Spinnaker	spinnaker
62	der Spinnaker-baum	spinnaker boom
63	der Katamaran	catamaran
64	der Trimaran	trimaran
65	das Auslegerboot	outrigger
66	der Schoner	schooner
67	das Focksegel	foresail
68	die Rennjacht	racing yacht
69	das Vorsegel	genoa
70	der Kiel	keel
71	die Leuchtrakete	flare
72	der Sextant	sextant
73	der Rettungsring	life buoy
74	die Latte	batten
75	der Segelsack	sailbag
76	der Windmesser	anemometer
77	das Barometer	barometer
78	die Karte	chart
79	das Paddel	paddle
80	der Fender	fender
81	der Wimpel	pennant
82	der Schöpfeimer	bailer
83	der Bootskarren	launching trolley
84	**das Frachtschiff**	cargo ship
85	das Achterdeck	poop deck
86	der Schiffskran	davit
87	die Rettungsboote*	lifeboats
88	der Schornstein	funnel
89	das Nebelhorn	fog horn
90	das Ruderhaus	wheelhouse
91	die Saling	cross trees
92	der Mastkorb	crow's nest
93	das Vordeck	foredeck
94	der Ladekran	derrick
95	die Back	forecastle
96	die Ankerwinde	windlass
97	die Gösch	jack
98	der Flaggenstock	jackstaff
99	der Rumpf	hull
100	die Schrau-benwelle	propeller shaft
101	die Turbinen*	turbines
102	der Maschinen-raum	engine room
103	die Ankerkette	anchor cable
104	**der Tanker**	tanker
105	der Feuerturm	fire tower
106	die Muringwinde	mooring winch
107	der Ladeposten	kingpost
108	die Frachttanks*	cargo tanks
109	**die Rettungs-barkasse**	rescue launch
110	die Reling	guard rail
111	das Rettungs-schlauchboot	inflatable liferaft
112	der Schleppkran	towing davit
113	**der Flugzeugträger**	aircraft carrier
114	das Fangseil	arrester wire
115	das Hangardeck	hangar deck
116	der Startkatapult	launching catapult
117	der Flugzeuglift	aircraft lift
118	der Düsenjäger	jets (fighter)
119	die Aufprall-barriere	crash barrier
120	das Auffangnetz	safety net
121	die Autofähre	car ferry
122	das Autodeck	car deck
123	der Klappbug	hinged bow
124	die Dau	dhow
125	die Gondel	gondola
126	das Ruderboot	rowing boat
127	die Dolle	rowlock
128	der Stechkahn	punt
129	die Dschunke	junk
130	**das Segelboot**	sailing dinghy
131	der Rudergänger	helmsman
132	der Vorschotmann	crew
133	das Backbord	port side
134	das Signalstag	stay